D1095142

KINDERDUDEN

MEYERS KINDERBÜCHER

ABC-Duden
Kinderduden
Meyers Kinderlexikon
Kinder-Rechenduden
The English Kinderduden
Meyers Sternbuch für Kinder
Meyers Neues Kinder-Verkehrsbuch
Meyers Kinder-Weltatlas
Meyers Kinder-Spielbuch
Meyers Trick- und Zauberbuch für Kinder
Meyers Kinderknigge
Meyers Tierbuch für Kinder
Meyers Kinder-Brehm
Max und Moritz u. a. Bildgeschichten
Till Eulenspiegels lustige Streiche

BIBLIOGRAPHISCHES INSTITUT · MANNHEIM/WIEN/ZÜRICH

JUGENDBUCHVERLAG

KINDERDUDEN

Mein erster Duden

Herausgegeben
vom Jugendbuchlektorat des Bibliographischen Instituts
und der Dudenredaktion

2., völlig neu bearbeitete Auflage

BIBLIOGRAPHISCHES INSTITUT · MANNHEIM/WIEN/ZÜRICH

JUGENDBUCHVERLAG

Mit 28 mehrfarbigen Bildtafeln von Joachim Schmidt und Erika Zöller

einem Wörterverzeichnis

und farbigen Bildern und Federzeichnungen von Joachim Schmidt

Texte von Erwin Könnecke

Das Wörterverzeichnis enthält

eine Auswahl aus dem Großen Duden, Band 1 (Rechtschreibung)

Satz: Zechnersche Buchdruckerei, Speyer

Reproduktion der farbigen Tafeln, Abbildungen und Druck:

Klambt-Druck GmbH, Speyer

Einband: Großbuchbinderei Lachenmaier, Reutlingen

Printed in Germany

ISBN 3-411-00951-9

L

Liebe Kinder!

Nun haltet Ihr einen richtigen Duden in der Hand, der nur für Euch geschrieben worden ist. Dieser Kinderduden soll Euch bei der Rechtschreibung helfen.
Der erste Teil dieses Kinderdudens ist für die jüngeren unter Euch bestimmt. Sie können sich die Bildtafeln anschauen und die dazugehörenden Geschichten lesen.
Auf den Bildtafeln sind viele Gegenstände abgebildet. Bei bestimmten Gegenständen steht eine Zahl. Diese Zahlen sind ü b e r den Bildern noch einmal aufgeführt. Hier könnt Ihr nachsehen, wie der Gegenstand, zu dem die Zahl gehört, heißt, und wie das Wort geschrieben wird.
Jedes Bild hat also ein eigenes kleines Wörterverzeichnis. Dieses ist alphabetisch geordnet. Kannst Du das Alphabet schon aufsagen? Es lautet:

A B C D E F G H I J K L M N O P Q R S T U V W X Y Z

A B C D E F G H I J K L M N O P Q R S T U V W X Y Z

a b c d e f g h i j k l m n o p q r s t u v w x y z

a b c d e f g h i j k l m n o p q r s t u v w x y z

Außerdem gibt es noch Sonderbuchstaben:

Ä Ö Ü ä ö ü ß

Ä Ö Ü ä ö ü ß

Die älteren unter Euch haben das Alphabet sicherlich schon so gut im Kopf, daß sie jedes Wort im zweiten Teil des Kinderdudens, dem großen Wörterverzeichnis, nachschlagen können.
Ihr braucht jetzt nicht immer die Mutter zu fragen, wenn Ihr nicht wißt, ob Ihr zum Beispiel „Uhr" mit oder ohne „h" schreiben müßt, denn nun habt Ihr ja den KINDERDUDEN. Auch Euer Lehrer wird sich freuen, wenn Ihr alles richtig schreibt.
Viel Spaß, liebe Kinder! — Herzlichst

Euer Dudenverlag

Inhaltsverzeichnis

In der Küche (1)

1 der Braten
2 das Brettchen
3 der Eierbecher
4 die Flasche
5 das Glas
6 der Herd
7 der Kalender
8 die Kanne
9 die Kartoffel
10 die Katze
11 die Küchenmaschine
12 der Küchenschrank
13 die Küchenuhr
14 der Kühlschrank
15 das Messer
16 die Milchflasche
17 der Mülleimer
18 der Salat
19 die Schürze
20 die Schüssel
21 die Tasse
22 der Teller
23 der Topf
24 der Topflappen
25 die Zwiebel

Ganz modern ist Mutters Küche. Alles hat seinen festen Platz: die Tassen, Teller und Gläser im Schrank, die Töpfe neben dem Herd und die guten Sachen, die wir zum Essen und Trinken brauchen, im Kühlschrank. Ja, in so einer Küche macht das Kochen Spaß.
Heute war die Schule früher aus; die Kinder sind schnell nach Hause gelaufen. Nun hilft Monika der Mutter und deckt den Tisch. Peter hat sich schon auf seinen Stuhl gesetzt und wartet gespannt darauf, was es heute zu essen gibt.
Auch Musch, die Katze, ist schon da. Mit steil aufgerichtetem Schwanz kommt sie zum Tisch. Sie will auch etwas vom Mittagessen haben.
Mutter bringt gerade den Braten vom Herd. Vater hat mittags nur eine Stunde Pause, deshalb ißt er in der Stadt. „Wir müssen Vati etwas vom Braten zum Abend aufheben. Er ißt ihn so gern", sagt Monika.

21
8
3
13
7
24
2
1
4
16
14
23
11
25
19
12
6
22
15
5
20
9
10
17

Im Kinderzimmer (2)

1 der Ball
2 der Bauklotz
3 das Bett
4 der Buntstift
5 das Deckbett (das Oberbett)
6 das Fenster
7 der Frosch
8 der Fußboden
9 der Hampelmann
10 das Kleid
11 das Kopfkissen
12 der Kragen
13 der Kreisel
14 die Leiter
15 die Matte (der Bettvorleger)
16 das Nachtschränkchen
17 die Puppe
18 die Puppenstube
19 der Puppenwagen
20 das Schaukelpferd
21 der Schlüssel
22 der Schrank
23 die Schublade
24 der Stuhl
25 der Teddybär
26 die Wand
27 der Wecker

Das ist das Zimmer von Peter und Monika. Rechts steht der große Schrank für die Kleider und die Spielsachen. Links sind die Betten aufgestellt. Sie stehen übereinander, damit sie nicht so viel Platz wegnehmen. Was glaubt ihr wohl, wer im oberen Stockwerk schläft, Peter oder Monika? Jeder einmal! Sie wechseln alle vier Wochen ab. Monikas Puppe sitzt auf dem unteren Bett. Daran erkennt ihr, daß jetzt Peter oben schläft. Das ist doch nicht der Peter, der da auf dem Fußboden spielt? Nein, Peter ist heute nicht da, er ist auf dem Sportplatz. Wir werden ihn später dort besuchen. Dies hier ist der kleine Klaus von nebenan. Seine Eltern sind in die Stadt gefahren. Nun soll Monika ein bißchen auf ihn aufpassen. Das gefällt ihm sicher gut. Er spielt mit der Eisenbahn und den bunten Klötzen, die er mitgebracht hat. Hoffentlich macht er Peters Auto nicht kaputt!

9
26
6
18
22
21
13
4
20
17
12
5
10
24
14
11
27
7
3
15
25
19
23
16
1
2
8

Im Wohnzimmer (3)

1. der Aschenbecher
2. das Bild
3. die Blumenbank
4. die Brille
5. das Buch
6. das Bücherregal
7. die Couch
8. der Fernseher
9. das Feuerzeug
10. der Füllfederhalter
11. die Gardine
12. das Garn
13. die Heizung
14. das Hemd
15. das Kissen
16. der Knopf
17. die Lampe
18. die Nadel
19. der Nähkasten
20. das Papier
21. der Plattenspieler
22. der Radiergummi
23. das Radio
24. die Rose
25. die Schallplatte
26. die Schere
27. der Schreibtisch
28. der Sessel
29. die Tapete
30. der Teppich
31. der Tisch
32. die Tischdecke
33. die Vase
34. der Vorhang
35. der Zeitungsständer
36. die Zigarettenschachtel

Die Mutter sagt: „Wir könnten ein wenig Musik hören. Ich habe eine schöne Schallplatte gekauft.“ Der Vater legt die Platte auf. Dann setzt er sich an den Schreibtisch, um ein paar Briefe zu schreiben. Mütter haben immer etwas zu nähen oder zu stopfen. Du siehst es auf dem Bild. Es ist an diesem Nachmittag schön ruhig im Haus, denn Peter und Monika sind bei Freunden. Bald werden sie heimkommen und erzählen, was sie heute alles erlebt haben. Sicher bist du auch neugierig und möchtest gern wissen, was unsere beiden Freunde so jeden Tag treiben.

Blättere nur weiter in diesem Buch! Dann findest du sie mit ihren Freunden beim Spiel oder in der Schule. Auch auf den Rummelplatz und in den Zoo sollst du sie begleiten. In den Ferien besuchen sie den Onkel und die Tante auf dem Bauernhof. Zuletzt machen sie noch eine große Reise, aber davon wird jetzt noch nichts verraten.

1
2
3
4
5
6
7
8
9
10
11
12
13
14
15
16
17
18
19
20
21
22
23
24
25
26
27
28
29
30
31
32
33
34
35
36

Im Garten (4)

1 der Apfel
2 der Ast
3 das Beet
4 die Birne
5 das Blatt
6 die Blume
7 der Blumenkohl
8 die Blüte
9 das Gartenhäuschen
10 der Gartenstuhl
11 der Gartentisch
12 die Gartentür
13 die Gießkanne
14 der Kohlkopf
15 der Korb
16 der Nachbar
17 der Obstbaum
18 das Planschbecken
19 der Rasen
20 die Schaukel
21 der Schmetterling
22 die Schnecke
23 der Spaten
24 der Stamm
25 der Stengel
26 der Strauch
27 die Tonne
28 die Tulpe
29 der Vogel
30 das Vogelhäuschen
31 der Weg
32 der Zaun
33 der Zweig

So macht man das! Der faule Peter hat sich einfach auf die Schaukel gesetzt und läßt sich die Sonne auf die Nase scheinen.
Monika aber gießt ihr Beet. Das gehört ihr ganz allein. Sie ist so stolz darauf, daß die Blumen, die sie selbst gesät hat, nun so schön und bunt blühen. Gestern hat sie sogar ihrer Mutter ein Sträußchen mitgebracht.
Die Eltern haben an das Nützliche gedacht. Blumenkohl und Salat sind prächtig gewachsen. Aber das ist den Kindern nicht so wichtig. Was Mutter kocht, schmeckt immer gut, ob es nun aus dem eigenen Garten kommt oder nicht.

Da ist ja der Nachbar an den Gartenzaun gekommen. Er erzählt ganz aufgeregt, daß die frechen Spatzen seine Kirschen gefressen haben. Oder waren da etwa auch „Spatzen" mit zwei Händen und Beinen, die klettern können? So saftig rote Kirschen sind doch eine große Versuchung! Vater und Mutter hören geduldig zu, was Herr Schulze alles zu berichten weiß.
Sie lassen sich aber nicht aus der Ruhe bringen, weil sie sich in ihrem schönen Garten von der Arbeit erholen wollen.
Ob der Vater nicht trotzdem im nächsten Jahr einen Kirschbaum pflanzt?

2
33
32
12
29
24
30
27
31
9
23
13
14
3
15
7
17
26
6
18
1
10
4
25
28
11
19
21
8
20
5
16
22

Im Badezimmer (5)

1 der Bademantel
2 die Badewanne
3 der Becher
4 der Boiler
5 die Brause (die Dusche)
6 die Glasplatte
7 der Hocker
8 die Kachel (die Fliese)
9 der Kamm
10 der Kleiderhaken
11 das Klosett
12 das Klosettpapier
13 das Nachthemd
14 der Pantoffel
15 der Schwamm
16 die Seife
17 die Socke
18 der Spiegel
19 die Waage
20 das Waschbecken
21 der Waschlappen
22 der Wasserhahn
23 die Zahnbürste
24 die Zahnpasta

Wieder ist ein Tag zu Ende. Die Kinder müssen schlafen gehen. Im Badezimmer machen sie sich fertig für die Nacht.
Peter hat sich eben gewaschen, nun putzt er sich gründlich die Zähne. Du weißt ja, wie wichtig das ist. Denn in der Nacht muß der Mund sauber sein, sonst werden die Zähne krank.
Monika kämmt sich noch das Haar, dann kann sie ins Bett gehen. Aber Peter muß wohl erst seine Kleider wegräumen. Wer wird denn so eine Unordnung hinterlassen?
Wohin starrt Monika eigentlich? Will sie etwa ihrem Bruder heimlich die Pantoffeln verstecken? Peter merkt bestimmt nichts, weil er ihr den Rücken zudreht. Wohin aber mit den Pantoffeln? O ja, in die Tasche des Bademantels.
Na, der Peter mag schön danach suchen!

18
24
23
4
5
8
10
3
9
1
6
16
21
15
12
22
2
20
13
11
7
17
19
14

Auf der Straße (6)

1 die Ampel
2 die Apotheke
3 das Auto
4 der Autofahrer
5 der Automat
6 der Bürgersteig
7 das Fahrrad
8 der Fußgänger
9 der Fußgängerüberweg
10 die Haltestelle
11 die Kreuzung
12 die Lenkstange
13 das Motorrad
14 der Motorradfahrer
15 das Nummernschild
16 der Parkplatz
17 die Parkuhr
18 der Radfahrer
19 der Radweg
20 das Rücklicht
21 der Schaffner
22 der Scheinwerfer
23 der Schutzmann
24 der Sitz
25 das Steuer (Lenkrad)
26 die Stoßstange
27 die Straße
28 die Straßenbahn
29 der Sturzhelm
30 die Verkehrsinsel
31 das Verkehrszeichen

Monika will ihre Freundin besuchen. Dabei muß sie mitten durch die Stadt. Mutter hat das gar nicht gern, denn auf der Straße ist es gefährlich. Es gibt so viele Autos in der Stadt und Motorräder und die Straßenbahn.
Jetzt steht sie an der breiten Hauptstraße. Die Ampel ist gerade auf Rot gesprungen. Monika weiß, daß sie nun warten muß. Die Straßenbahn fährt vorbei, und der Mann im Auto schaltet eben in den zweiten Gang. Was wird Monika tun, wenn die Ampel Grün zeigt? Wird sie dann auch so plötzlich losrennen wie der kleine Junge, der da über die andere Straße will? Aber nein, das ist ganz falsch! Wer so losrennt, kann sich nicht umsehen und wird leicht überfahren. Monika hat gelernt:

Bevor wir über die Fahrbahn gehn,
bleiben wir stehn. Schaun links, schaun rechts,
die Bahn ist frei, wir dürfen gehen,
eins, zwei, drei.

Im Jugendverkehrsgarten ist Monika bereits mit dem Auto gefahren. Die Verkehrszeichen hat sie schon in der Schule gelernt.
Ob sie wohl zu ihrem nächsten Geburtstag ein Fahrrad bekommt? Es ist ihr größter Wunsch!

APOTHEKE
spielwaren
APOTHEKE
Uhren Schmuck
Den Duden braucht jeder
Schönau
7
1
2
3
4
5
6
7
8
9
10
11
12
13
14
15
16
17
18
19
20
21
22
23
24
25
26
27
28
29
30
31

Auf der Post (7)

1 der Brief
2 die Briefmarke
3 die Briefwaage
4 das Fernsprechbuch (das Telefonbuch)
5 die Fernsprechzelle (die Telefonzelle)
6 das Formular
7 die Glastür
8 der Leimtopf
9 das Päckchen
10 das Paket
11 der Paketschalter
12 die Paketwaage
13 der Pinsel
14 das Postfach
15 die Rechenmaschine
16 der Schalter
17 der Schalterbeamte
18 das Sparbuch
19 der Stempel
20 das Stempelkissen

„Gib mir doch bitte mein Postsparbuch", sagt Monika zu ihrer Mutter. „Ich möchte gern auf der Post die fünf Mark einzahlen, die mir Tante Gabi gestern geschenkt hat."

Am Schalter muß Monika etwas warten. Der Beamte rechnet gerade noch die Zahlen nach, die in seinem Buch stehen. Als er damit fertig ist, fragt er: „Na, kleines Fräulein, was kann ich für dich tun?" „Ich will fünf Mark einzahlen", antwortet Monika und gibt ihm das Buch. Während der Beamte das Geld einträgt, schaut sich Monika im Postamt um.

Am Schalter nebenan wird gerade ein Brief gestempelt. Der Mann, der den Brief wegschicken will, sagt zu dem Fräulein hinter dem Schalter: „Machen Sie bitte den Stempel schön sauber. Mein Freund, an den der Brief geht, ist nämlich Briefmarkensammler."

Sammelst du auch schon Briefmarken? An der Wand dort, wo die Uhr hängt, kannst du Briefmarken sehen, die bei uns gültig sind. Es sind viel mehr, als man denkt.

Jetzt am Vormittag kommen nur wenig Leute zur Post. Einer schreibt einen Brief, ein anderer telefoniert in der Fernsprechzelle. Auch der Beamte am Paketschalter hat nicht viel zu tun. Aber warte einmal ab, wie es hier am Abend aussieht. Dann wird es voll in der Halle, und es dauert viel länger, bis man an die Reihe kommt.

Unser Bild ist so gemalt, wie die Postbeamten ihre Post sehen. Darum sieht auch die Schrift auf den Glasscheiben so merkwürdig aus. Monika kann leicht lesen, was da steht. Aber für dich ist das eine „Spiegelschrift". Kannst du die Worte herausbekommen?

PAKETE
BRIEFE
2 Telegramme Ferngespräche
Postwertzeichen Ausgabe Renten
3 Postanweisungen Zahlkarten Postsparkasse
Einschreiben Wertbriefe
4 Päckch
1
2
3
4
5
6
7
8
9
10
11
12
13
14
15
16
17
18
19
20

Auf dem Rummelplatz (8)

1	das Eis	**7**	die Kasse	**13**	der Rost	**19**	die Trommel
2	die Fahne	**8**	das Kettenkarussell	**14**	die Schießbude	**20**	der Verkäufer
3	das Feuer	**9**	das Lebkuchenherz	**15**	das Schiff	**21**	die Wurst
4	die Geisterbahn	**10**	der Luftballon	**16**	die Schiffschaukel		
5	das Gewehr	**11**	die Papierblume	**17**	das Sprachrohr		
6	das Karussell	**12**	das Riesenrad	**18**	die Süßigkeiten		

Was ein Rummelplatz ist, das weißt du doch? In manchen Orten sagt man auch Kirmes oder Jahrmarkt oder Messe dazu. Der große Platz ist voller Buden und Karussells, und überall herrscht ein toller Lärm. Es klingelt und bimmelt und tutet und pfeift. Aus der Geisterbahn hört man die Gespenster heulen und brüllen. Aber am lautesten ist die Musik bei den Karussells. Man kann sein eigenes Wort kaum verstehen.
Monika fährt gerade zum zweitenmal mit der Geisterbahn, weil man sich da so schön gruseln kann. Aber Peter ist schon weitergelaufen. Wo steckt er denn jetzt? Natürlich, er will zu den elektrischen Autos. Da kann er selber fahren und lenken, er kann im Zickzack flitzen und schnell ausweichen, wenn ihm ein anderes Auto entgegenkommt.
Hoffentlich findet Monika ihren Bruder nachher auch wieder! Ich glaube, sie wollten sich bei dem Mann mit den Luftballons treffen und zum Schluß eine Bratwurst essen. Ob das Geld dazu wohl noch reicht? Es gibt ja soviel schöne Dinge auf dem Rummelplatz zu kaufen!

GEISTERBAHN
Jockels Kinderschiffschaukel
KASSE
GLÜCKS
1
2
3
4
5
6
7
8
9
10
11
12
13
14
15
16
17
18
19
20
21

In der Schule (9)

1	das ABC	8	das Handtuch	15	der Lehrer	22	der Stundenplan
2	der Bleistift	9	das Heft	16	das Lineal	23	die Tafel
3	die Blockflöte	10	der Kartenständer	17	das Pult	24	die Tür
4	der Buchstabe	11	das Klassenbuch	18	der Ranzen	25	die Türklinke
5	das Dreieck	12	das Klassenzimmer	19	der Scheitel	26	die Zeichnung
6	das Etui	13	die Kreide	20	der Schwamm	27	der Zeigefinger
7	das Haar	14	der Lappen	21	der Spruch	28	der Zopf

Zweiundzwanzig Kinder sind in Monikas Klasse. Du kannst sie nur nicht alle auf dem Bild sehen. Wie viele sitzen da wohl noch in der hinteren Reihe? Und vorn rechts im Bild ist ein leerer Stuhl. Das ist wohl der Platz von Uwe, der gerade zur Tür hereinkommt. Er sieht noch ganz verschlafen aus. Er hat eine Flöte in der Hand. Er soll heute den anderen Kindern etwas vorspielen.

Die Kinder sitzen vor ihren Tischen und schreiben einen Spruch von der Wandtafel ab. Der Lehrer hat vorher gesagt: „Schreibt den Spruch von der Tafel ab. Paßt gut auf, denn zwei Wörter sind nicht ganz ausgeschrieben. Die fehlenden Buchstaben müßt ihr allein finden." Nun überlegen sie alle. Ob das wohl schwer ist? Monika sitzt hinten an der Wand. Ich glaube, sie ist schon fertig mit dem Schreiben, denn jetzt meldet sie sich gerade. Einige Kinder denken noch nach. Hast du denn schon gemerkt, welche Buchstaben an der Wandtafel fehlen?

21
10
13
20
14
5
8
24
25
3
17
11
15
26
23
7
2
28
18
19
6
9
16
4
1
27
STUNDENPLAN
22
12

Auf dem Sportplatz (10)

1 das Auge
2 die Bahn
3 der Ball
4 das Bein
5 die Brust
6 der Fußballschuh
7 der Hochsprung
8 der Läufer
9 die Nummer
10 der Rücken
11 die Schulter
12 der Spieler
13 der Stollen
14 die Stoppuhr
15 der Stutzen
16 das Tor
17 die Torlatte
18 der Tormann
19 das Tornetz
20 der Torpfosten
21 das Turnhemd
22 die Turnhose
23 der Turnschuh
24 der Weitsprung

Es ist Mittwoch nachmittag. Da kommen viele Kinder aus der Stadt auf den Sportplatz. Jedes Kind kann zu einer Gruppe gehen und dort mitspielen. Hier haben sich einige Jungen und Mädchen an den Händen gefaßt. Der wilde Horst läuft als erster und zieht sie alle im großen Kreis über die Wiese. Peter ist nicht dabei, er spielt lieber mit Klaus. Die beiden Jungen werfen sich den Ball zu und üben das Fangen.

Beim Fußballspiel gleich daneben geht es hoch her. Gerade will der Stürmer den Ball mit voller Wucht auf das Tor schießen. Da streckt der Verteidiger sein Bein vor, er will den Schuß abwehren, bevor der Tormann eingreifen muß. Auch Helmut, der auf einem Bein steht und zuschaut, hat kurz vorher eine Bombe aufs Tor schießen wollen. Leider hat er dabei aber nicht den Ball, sondern die Erde getroffen. Jetzt tut der Knöchel so weh, daß er humpeln muß. Sein Freund stützt ihn. Wir wollen hoffen, daß die Verletzung nicht schlimm ist und daß Helmut bald wieder mitspielen kann.

Das nächstemal will Peter auch Fußball spielen oder mit anderen Jungen um die Wette laufen.

1
2
3
4
5
6
7
8
9
10
11
12
13
14
15
16
17
18
19
20
21
22
23
24

Im Schwimmbad (11)

1	der Badeanzug	8	das Förmchen	15	der Rettungsring	22	das Schwimmbecken
2	die Badehose	9	das Gerüst	16	der Ring	23	die Spielwiese
3	der Bademeister	10	die Hecke	17	die Rutschbahn	24	das Sprungbrett
4	die Bademütze	11	der Kiosk	18	der Sand	25	der Sprungturm
5	das Badetuch	12	das Netz	19	der Sandkasten	26	der Startblock
6	der Eimer	13	das Planschbecken	20	die Schaufel	27	die Umkleidekabine
7	der Federball	14	der Rand	21	der Schläger	28	das Wasser

„Hitzefrei! Hitzefrei!" Mit diesem Ruf sind Peter und Monika aus der Schule nach Hause gekommen. Sofort haben sich die Kinder an die Schularbeiten gesetzt. Schon vor dem Mittagessen sind sie damit fertig. Nach dem Essen wollen beide ins Schwimmbad gehen. Dort treffen sich die Geschwister mit vielen Freunden aus ihrer Klasse. Aber auch kleine Kinder sind da. Sie spielen im Planschbecken. Gerade platscht ein kleiner Junge lachend von der Rutschbahn ins Wasser. Er hat keine Angst. Monika und Peter sind inzwischen auch angekommen. Sie haben zuerst ein wenig Federball gespielt und sich dann unter der Dusche abgekühlt. Nun laufen sie zum Schwimmbecken.

„Das ist für die Pantoffeln von gestern!" ruft Peter und gibt seiner Schwester einen Schubs. Monika aber springt mit lautem Juhu ins Wasser.

21
25
27
12
9
11
3
23
16
15
24
4
22
28
17
2
1
26
10
5
6
13
14
8
19
18
20

Beim Arzt (12)

1 die Arznei
2 der Arzt
3 die Arzthelferin
4 das Blut
5 das Hörrohr
6 der Hut
7 der Kittel
8 der Kleiderständer
9 das Knie
10 das Kostüm
11 der Krankenschein
12 die Liege
13 der Mantel
14 das Mikroskop
15 der Papierkorb
16 der Patient
17 das Pflaster
18 die Pinzette
19 der Röntgen-apparat
20 das Röntgenbild
21 die Sekretärin
22 die Spritze
23 das Telefon
24 das Thermometer
25 der Verband
26 das Wartezimmer
27 die Watte

Da sitzt Monika beim Arzt und wird verbunden. Was ist denn passiert? Sie ist vom Roller gefallen. Wie immer fuhr sie wild um die Ecken herum. Da stand sie plötzlich vor einem Kinderwagen und mußte bremsen. Dabei rutschte sie aus und fiel aufs Knie. Die Wunde blutete und war voller Schmutz. Die Mutter fuhr sofort mit ihr zum Arzt.
Monika brauchte nicht lange zu warten. Der Arzt holte sie gleich herein. Sie bekam erst einmal eine Spritze gegen eine Krankheit, die leicht mit dem Straßenschmutz ins Blut dringen kann. Doch so eine Spritze tut kaum weh. Schlimmer war es, als der Doktor mit einer Pinzette die vielen kleinen Steinchen aus der Wunde holte. Nun sitzt sie ganz erschöpft auf dem Stuhl, und die Arzthelferin legt einen Verband um das Knie. Der Arzt kümmert sich schon um einen anderen Patienten.
Wie gut, daß die Mutter hinter Monika steht und beruhigend die Hand auf ihre Schulter legt! Bald hat Monika dies alles wieder vergessen und kann wie immer mit den Kindern spielen.

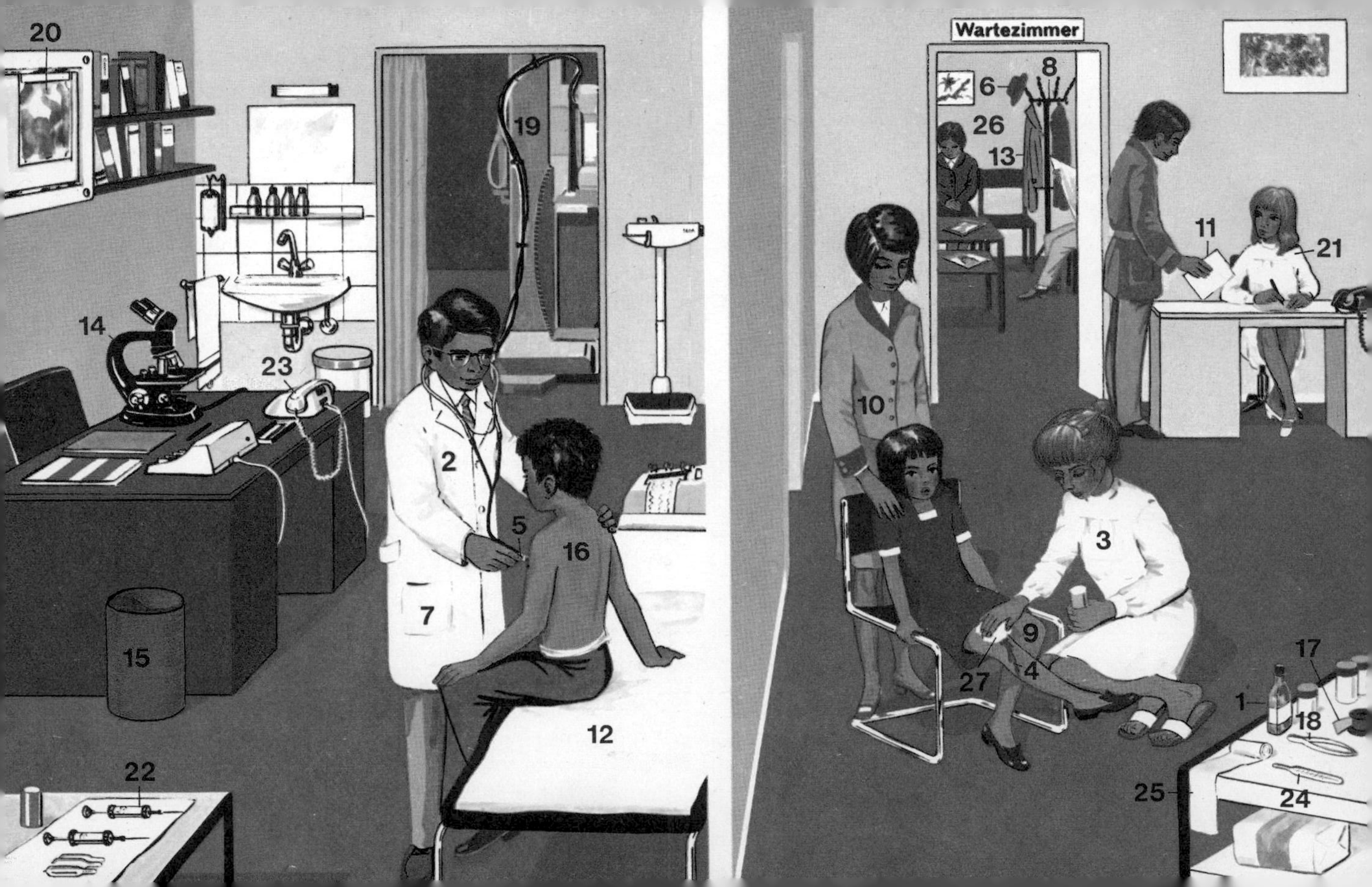
Wartezimmer
20
19
14
23
2
5
16
7
15
12
22
8
6
26
13
11
21
10
3
9
27
4
17
1
18
25
24

Start zum Mond - Mondlandung (13)

1 der Astronaut
2 die Düse
3 die Einstiegluke
4 die Erde
5 der Handschuh
6 die Kamera
7 der Krater
8 die Landefähre
9 der Landeteller
10 der Metallschirm
11 der Mond
12 die Mondoberfläche
13 der Mondstaub
14 die Rakete
15 der Raumanzug
16 der Raumhelm
17 die Raumsonde
18 die Richtantenne
19 die Spur
20 das Startgerüst
21 das Visier

Weißt du noch, wie es war, als die ersten Menschen auf dem Mond landeten? In vielen Ländern der Erde saßen Millionen Menschen vor den Fernsehapparaten und warteten gespannt auf die ersten Bilder, die direkt vom Mond kommen sollten.

Auch Peter und Monika haben das alles miterlebt. Vier Tage vorher hatten sie die Fernsehübertragung vom Start des Raumschiffes gesehen. An der Spitze einer riesigen Rakete war es von der Erde weg in den Himmel gestiegen, zuerst langsam, dann immer schneller und schneller.

Die Landung auf dem Mond wurde mitten in der Nacht übertragen. Die Kinder waren deshalb am Abend vorher besonders früh schlafen gegangen. „Weckst du uns auch ganz bestimmt?" hatte Peter seine Mutter gefragt.

Da steht nun die Mondlandefähre auf der Oberfläche des Mondes. An jedem Bein hat sie unten einen großen Teller, damit sie nicht in den Mondstaub einsinkt. Die beiden Astronauten sind ausgestiegen. Vorsichtig gehen sie in ihren dicken Raumanzügen umher. Alles, was sie brauchen, haben sie bei sich, auch die Luft zum Atmen. Diese gibt es ja hier auf dem Mond nicht. Die Männer stellen viele Geräte auf, die Peter und Monika noch nie zuvor gesehen haben. Damit werden Strahlen und vieles andere gemessen.

Vielleicht hast du dich schon gewundert, daß die Gesichter der Astronauten auf dem Bild nicht zu sehen sind. Ihre Visiere sehen aus wie Spiegel. Sie sind so eingerichtet, daß gefährliche Strahlen nicht eindringen können.

11
14
USA
20
4
7
17
2
8
3
10
18
16
21
6
5
1
15
9
12
13
19

Auf dem Bahnsteig (14)

1	die Abfahrtstafel	7	der Eisenbahnwagen	13	der Koffer	19	die Schiene
2	die Abfahrtszeit	8	die E-Lok	14	der Kofferkuli	20	die Schwelle
3	das Abteil	9	der Fahrgast	15	der Lautsprecher	21	die Schwester
4	der Bahnsteig	10	der Gepäckwagen	16	die Leitung	22	die Uhr
5	die Bank	11	das Gleis	17	der Puffer	23	der Zeiger
6	die Diesellok	12	der Güterwagen	18	die rote Mütze	24	die Zeitschrift

Monika und Peter wollen eine große Reise machen. Onkel Jochen hat sie eingeladen, die Sommerferien bei ihm auf dem Bauernhof zu verbringen. Die Geschwister dürfen das erste Mal allein mit dem Zug fahren. Die Mutter hätte den Kindern am liebsten ein Schild mit Namen, Anschrift und Reiseziel umgehängt. Damit war Peter aber gar nicht einverstanden. „Wir sind jetzt Schulkinder!" hat er gesagt. „Wir können lesen und die Uhr erkennen. Da werden wir doch merken, wann wir aussteigen müssen." Da hat die Mutter nachgegeben.

Auf dem Bahnsteig erklärt Peter seiner Mutter ganz sachverständig die Lokomotiven. Er weiß sogar, was eine E-Lok ist.

Plötzlich fängt Monika an zu singen – ganz leise natürlich: „Eine kleine Dickmadam fuhr mal mit der Eisenbahn." Peter muß lachen, denn gerade hat auch er die dicke Frau mit dem dicken Hund und dem Kofferkuli entdeckt. Die beiden können froh sein, daß die Mutter nichts gehört hat. Sie wissen nämlich ganz genau, daß man große Leute nicht auslachen darf.
Nun müssen Peter und Monika aber einsteigen. Sonst fährt der Zug noch ohne sie fort. Versuche doch einmal herauszubekommen, wie lange Peter und Monika noch Zeit bis zur Abfahrt haben.

Gleis 1
Kassel
Hannover
Hamburg
E Eilzug
Abfahrt
10 32
D 7071
Abfahrt
10 05
Heidelberg
Karlsruhe
Basel
1
Gleis 2
MODE
Neue Zeitung
1
2
3
4
5
6
7
8
9
10
11
12
13
14
15
16
17
18
19
20
21
22
23
24

Der Marktplatz (15)

1 der Arbeiter
2 der Blumenkasten
3 der Briefkasten
4 der Brunnen
5 das Dach
6 die Drogerie
7 das Fachwerkhaus
8 der Giebel
9 der Handwerker
10 das Haus
11 die Haustür
12 das Kino
13 der Kirchturm
14 die Metzgerei (Fleischerei)
15 das Plakat
16 die Polizei
17 das Rathaus
18 der Schatten
19 das Schaufenster
20 die Sonnenuhr
21 das Spielwarengeschäft
22 das Stadttor
23 die Straßenwalze
24 das Türmchen
25 der Werkzeugkasten
26 die Zange

Onkel Jochen sagt eines Morgens: „Heute habe ich in der Stadt zu tun. Ihr könnt mitfahren." Da freuen sich die Kinder. Heinz, der Vetter von Peter und Monika, meint: „Ich zeige euch unseren Marktplatz. Dort steht ein schönes altes Rathaus, und viele schöne Fachwerkhäuser könnt ihr dort sehen."
Der Onkel erledigt seine Besorgungen; die Kinder bummeln inzwischen durch die Straßen der hübschen Stadt. Früher war sie ganz von einer Mauer eingeschlossen; von der ist nur noch das alte Stadttor übrig.
Auf dem Marktplatz sehen die Kinder zuerst ein Weilchen den Arbeitern zu. Die eine Hälfte des Platzes ist aufgerissen. Dort soll die Straßendecke erneuert werden.

Auf einmal sagt Peter zu Heinz: „Komm, wir spielen Wundertaler!" Heinz kennt das Spiel nicht. „Das ist doch ganz einfach", erklärt Peter. „Du bekommst von mir einen Wundertaler. Damit gehen wir beide zum Schaufenster des Spielzeugladens. Dort kannst du dir dann kaufen, was du willst." Heinz ist begeistert: „Fein, das Spiel ist prima! Ich kaufe mir für meinen Wundertaler eine elektrische Eisenbahn." Peter möchte eine vollständige Indianerausrüstung haben.
Monika steht am Brunnen. Sie schaut den Goldfischen zu. Sie ruft zu den Jungen hinüber: „Ich kaufe mir ein großes Aquarium für den Wundertaler."

RAT HAUS
DROGERIE
POLIZEI
POST
REX LICHTSPIELE
DIE SCHATZINSEL
MAX HACKEMESSER
Metzgerei
1
2
3
4
5
6
7
8
9
10
11
12
13
14
15
16
17
18
19
20
21
22
23
24
25
26

Auf dem Bauernhof (16)

1 der Bauer
2 die Bäuerin
3 das Bauernhaus
4 die Ente
5 das Feld
6 das Futter
7 die Gans
8 der Hahn
9 die Harke (der Rechen)
10 das Huhn
11 der Hund
12 die Hundehütte
13 die Kette
14 das Küken
15 die Milchkanne
16 die Mistgabel
17 der Misthaufen
18 die Pfeife
19 die Scheune
20 die Schubkarre und der Schubkarren
21 die Sense
22 der Silo
23 der Stall
24 der Trecker

Hier siehst du Peter und Monika auf dem Bauernhof ihres Onkels. Sie haben sich sehr schnell zurechtgefunden und kennen schon alles genau: das Wohnhaus, den Stall, die Scheune und den großen Silo. Darin wird das Futter für den Winter aufbewahrt.
Und wieviel Tiere sind auf dem Hof, die Peter und Monika bisher nur aus Bilderbüchern kennen: die gackernden Hühner mit ihrem stolzen Hahn, die schnatternden Enten und Gänse, Tyras, der Hund, und Murr, der Kater. Die Kühe und Pferde im Stall werden sie auch noch sehen.
Monika macht es besonderen Spaß, die Hühner zu füttern. Da kommen sie alle gelaufen. Aber Monika sorgt zuerst dafür, daß die Glucke und die niedlichen Küken etwas bekommen. Und Peter, sieht er nicht schon wie ein richtiger Bauernjunge aus mit seiner Heugabel?
Da kommt Onkel Jochen auf dem Traktor gefahren.
„Peter!" ruft er. „Komm mit, wir fahren aufs Feld!"
Das läßt sich Peter nicht zweimal sagen, schnell steigt er auf den Traktor hinauf. „Halt dich aber gut fest", sagt der Onkel, „daß du nicht hinunterfällst! Sonst lachen dich Hühner und Gänse und Monika aus."
„Werd' schon aufpassen, Onkel Jochen", sagt Peter.

1
2
3
4
5
6
7
8
9
10
11
12
13
14
15
16
17
18
19
20
21
22
23
24

Im Stall (17)

1 der Besen
2 der Boden
3 das Euter
4 das Ferkel
5 der Futtertrog
6 der oder das Halfter
7 die Hand
8 das Horn
9 das Kalb
10 das Kopftuch
11 die Kuh
12 die Mähne
13 das Maul
14 die Melkmaschine
15 die Nüstern
16 das Ohr
17 das Pferd
18 der Ringelschwanz
19 der Schwanz
20 das Schwein
21 der Strick
22 das Stroh
23 das Zicklein
24 die Ziege

Monika ist im Stall bei „ihrem" Kälbchen. Sie hätte ja auch mit Onkel Jochen auf das Feld fahren können, aber sie hat doch ein bißchen Angst auf dem Traktor, und im Stall ist es doch so schön!

Das Kälbchen war am gleichen Tage zur Welt gekommen, als Peter und Monika auf dem Bauernhof ankamen. Monika hatte es gleich gesehen, als es auf unsicheren Beinchen neben seiner Mutter stand und sein Fell noch ganz feucht war. „Das ist mein Lottchen!" hatte sie gerufen. Nun hat Lottchen seinen eigenen Verschlag, und Monika kann immer wieder zu ihm hineingehen und es streicheln. Lottchens Mutter steht nebenan und schaut herüber. Sie scheint zu spüren, daß es ihrem Kleinen gutgeht. Heute darf Lottchen noch einmal bei der Mutter trinken, aber dann bekommt es seine Milch aus einem Eimer. Tante Martha ist gerade dabei, die anderen Kühe zu melken. Mit der schönen neuen Melkmaschine geht das ganz schnell und sauber.

Aber es sind ja noch viel mehr Tiere im Stall. Die vier kleinen Ferkelchen dort drüben sind auch erst wenige Tage alt. Im Ziegenstall und bei den Pferden gibt es natürlich auch viel zu sehen. Heute morgen durfte Peter dabeisein, als Onkel Jochen die Pferde putzte. „Bald werden wir auch ein Fohlen bekommen", hatte der Onkel gesagt. Vielleicht sind Peter und Monika noch auf dem Hof, wenn es zur Welt kommt.

1
2
3
4
5
6
7
8
9
10
11
12
13
14
15
16
17
18
19
20
21
22
23
24

Auf dem Feld (18)

1 die Ähre
2 der Bach
3 der Baum
4 der Bienenstock
5 die Birke
6 das Dorf
7 die Dorfkirche
8 der Draht
9 der Fasan
10 die Feder
11 die Feldmaus
12 der Feldweg
13 der Halm
14 der Hase
15 das Heu
16 die Kornblume
17 das Kornfeld
18 der Mohn
19 der Pfahl
20 der Schnabel
21 der Steg
22 die Telegraphenleitung
23 der Telegraphenmast
24 die Vogelscheuche
25 der Wald
26 die Weide
27 die Wiese

Beim Frühstück hatte Onkel Jochen gemeint: „Peter, du könntest mir beim Heueinfahren helfen." „Ja", sagte Peter, „das macht mir Spaß!"
Auf dem Bild siehst du ihn bei der Arbeit. Er recht das Heu zusammen, und der Onkel lädt es auf den Wagen. Plötzlich ruft Peter: „Sieh mal, Onkel Jochen, eine Feldmaus!" „Ja, ja", antwortet er, „das sind gemeine Biester. Die richten großen Schaden auf den Feldern an", und will die Maus tottreten. „Bitte, bitte nicht", fleht Peter, „sie ist so niedlich." Der Onkel brummt etwas in seinen Bart hinein und lädt den nächsten großen Ballen Heu auf den Wagen.
Peter schwitzt sehr bei der Arbeit. Er will sich doch nicht sagen lassen, daß Heu liegengeblieben ist.

Plötzlich läuft ein großer Vogel über den Weg. Er hat einen langen Schwanz und bunte Federn. Peter erinnert sich an einen ähnlichen Vogel im Zoo. Es ist ein Fasan. Er hat gar keine Angst vor den Menschen und dem großen Traktor. Auch die Vogelscheuche auf dem Kornfeld schreckt ihn nicht. Die ist ja auch bloß für die frechen Spatzen da!
Als Peter zu Mittag nach Hause kommt, sagt er zu seiner Schwester: „Wenn du glaubst, daß es nur hier auf dem Hof Tiere gibt, dann irrst du dich. Ich habe heute auf dem Feld einen Fasan, eine Maus, einen Hasen, Spatzen und Kühe gesehen."

7
6
25
26
3
19
8
4
22
5
27
23
24
2
21
17
14
13
18
16
1
15
20
9
10
11
12

Im Lebensmittelgeschäft (19)

1	die Ananas	8	die Gurke	15	die Ladentür	22	der Sack
2	die Apfelsine	9	der Kakao	16	die Lebensmittel	23	der Saft
3	die Banane	10	die Kartoffel	17	die Milch	24	der Salat
4	die Bohne	11	der Karton	18	das Obst	25	die Tomate
5	die Butter	12	der Käse	19	das Öl	26	die Waage
6	das Ei	13	der Kaufmann	20	der Quark	27	die Zitrone
7	das Gemüse	14	die Kühltruhe	21	das Regal		

Nun hat doch unser Peter tatsächlich vergessen, was er einkaufen soll! Mitten im Laden steht er und denkt nach: „Was soll ich nur holen?" Gerade kommt der Kaufmann vorbei und fragt: „Na Peter, was willst du denn haben?" Da fällt es dem Peter doch wieder ein, und er sagt laut: „Ein Pfund Eier, einen Liter Puddingpulver und . . ." Warum lachen bloß die Leute alle so? Da merkt er es auch schon selbst und sagt: „Einen Liter Milch, eine Tüte Eier und ein Pfund Puddingpulver!" Der Kaufmann schüttelt den Kopf und sagt freundlich: „Aber Peter, das kann doch nicht stimmen! Eine Tüte Eier und ein Pfund Puddingpulver?"

Peter ist ganz verzweifelt. Die Spielregeln beim Fußball sind leichter zu behalten als so ein Auftrag, den die Mutter ihm gibt! Der Kaufmann hilft ihm und fragt: „Wieviel Eier sollst du denn kaufen?" Plötzlich weiß Peter alles wieder ganz genau: „Eine Tüte Schokoladenpuddingpulver, 10 Eier und einen Liter Milch soll ich holen." „Na also", sagt der Kaufmann, und beide lachen. „Nun nimm dir aber auch einen Korb, wie es alle Leute machen. Die Eier kannst du dir da vorne holen und die Milch dort drüben, und hier ist das Puddingpulver. Nachher kommst du dann zu mir an die Kasse."

Obst und Gemüse
Lebensmittel
Ia Wermutwein
2.95
1 2 3 4 5 6 7 8 9 10 11 12 13 14 15 16 17 18 19 20 21 22 23 24 25 26 27

Auf dem Markt (20)

1 die Aprikose
2 die Erdbeere
3 der Flieder
4 die Gladiole
5 die Heidelbeere (die Blaubeere)
6 die Himbeere
7 die Johannisbeere
8 die Kirsche
9 das Maiglöckchen
10 die Mohrrübe (die Möhre, die gelbe Rübe)
11 die Narzisse
12 die Nelke
13 die Osterglocke
14 der Paprika
15 der Pfirsich
16 der Porree (der Lauch)
17 das Radieschen
18 der Rotkohl (das Rotkraut)
19 die Schlüsselblume
20 der Spargel
21 die Stachelbeere
22 das Stiefmütterchen
23 der Weißkohl (das Weißkraut)

Heute schickt die Mutter Peter und Monika zum Wochenmarkt: „Ich brauche eine große Gurke und einen Blumenkohl. Hier habt ihr Geld dafür. Eine Mark schenke ich euch. Dafür könnt ihr kaufen, was ihr wollt."
Monika ist am Blumenstand stehengeblieben. „Möchtest du Margeriten haben, mein kleines Fräulein?" fragt die Verkäuferin. Monika nickt mit dem Kopf, denn Margeriten hat sie auf ihrem kleinen Beet nicht. Der Strauß kostet auch nur 40 Pfennig. Peter ist nicht recht damit einverstanden. Er macht ein brummiges Gesicht. Er hat nämlich dort hinten ganz besonders schöne, große Kirschen entdeckt. Er ißt sie für sein Leben gern. Monika sagt: „Ja, für 50 Pfennig kannst du dir welche holen. Gib mir aber auch einige davon ab."
Danach gehen die Kinder zum Gemüsestand und kaufen den Blumenkohl und die Gurke.
Auf dem Heimweg veranstalten sie um die Wette ein Zielspucken mit den Kirschkernen. „Mal sehen, wer am besten die Bäume trifft", sagt Peter.
Als die Kinder wieder zu Hause sind, fragt die Mutter: „Na, habt ihr noch Geld übrig?" Da rechnet Peter schnell nach. „Natürlich, Monika, du mußt noch 10 Pfennig haben." Stimmt diese Rechnung?

Auf der Baustelle (21)

1 der Ausleger
2 der Balken
3 die Bauhütte
4 der Betonkübel
5 die Betonmisch-maschine
6 das Brett
7 der Bretterzaun
8 der Flaschenzug
9 das Gerüst
10 der Hammer
11 der Kies
12 der Kran
13 der Kranführer
14 das Kranführerhaus
15 die Maurerkelle
16 die Planierraupe
17 der Richtkranz
18 der Rohbau
19 der Sandhaufen
20 der Schutzhelm
21 die Stange
22 das Tragseil
23 der Zement
24 der Zementsack
25 der Zementsilo
26 der Ziegelstein

„Vati, gehen wir heute zu den neuen Häusern?" – „Ja, Peter, heute habe ich Zeit", sagt der Vater. Er hat nämlich einen freien Nachmittag.

Auf der Baustelle treffen sie Herrn Lang, den Architekten. Vater kennt ihn gut; sie waren früher zusammen in einer Klasse. Herr Lang hat eine große Rolle unter dem Arm. Das sind die Baupläne für die Häuser, die hier gebaut werden.

Es sind große Häuser mit vielen Wohnungen. Das Haus hier vorn wird aus Ziegelsteinen gebaut. Oben auf dem Gerüst stehen die Maurer und setzen sorgfältig einen Stein auf den anderen. Die Mauer muß genau senkrecht sein. Das ist gar nicht so einfach, wie du vielleicht denkst. Mit einem hohen Kran werden die Steine nach oben transportiert. Der Beton für die Zimmerdecken wird in der Betonmischmaschine aus Sand, Kies, Zement und Wasser gemischt.

„Herr Lang, was ist das für ein bunter Kranz da hinten?" Der Architekt antwortet: „Das Haus ist im Rohbau fertig. Das siehst du an dem Richtkranz, der am Ausleger des Krans hängt. Vor drei Tagen haben die Maurer das Richtfest gefeiert."

All das erzählt Herr Lang den beiden, und wie du siehst, hört Peter eifrig zu. Er ist ganz begeistert vom Häuserbauen. Ob er später vielleicht Architekt werden will?

1
22
17
9
13
14
12
18
8
25
21
16
7
3
5
20
11
6
26
19
23
4
15
24
10
2

Im Zoo (22)

1 der Affe
2 der Bär
3 der Eisbär
4 der Elefant
5 das Gehege
6 die Giraffe
7 der Gitterstab
8 der Käfig
9 das Känguruh
10 der Leopard
11 der Löwe
12 die Mähne
13 das Nashorn
14 das Nilpferd
15 der Pfau
16 das Pony
17 der Ponywagen
18 die Tatze
19 der Tierwärter
20 der Tiger
21 das Zebra

Heute geht es in den Zoo. Peter und Monika können es gar nicht abwarten, bis sie bei den vielen Tieren sind.
Gleich vom Eingang weg ist Peter zu den Zebras gelaufen. Er will es genau wissen, ob das wirklich nur angemalte Pferdchen sind. So hatte es ein kleines Mädchen behauptet, in einem Buch, das Peter gestern gelesen hat. Was meinst du, hatte das Mädchen recht?

Aber wo ist denn Monika? Sie hat gewartet, bis der kleine Ponywagen zum Eingangstor kam. Nun sitzt sie stolz mit den anderen Kindern im Wagen und läßt sich durch den ganzen Zoo fahren. Gleich sollen die Raubtiere gefüttert werden. Die Eisbären bekommen schon ihre Fische.
Was ist denn dort an der Ecke los? Die Kinder sind ja ganz aufgeregt. Aha, ein Affe ist aus seinem Käfig gesprungen. Er ist flink auf einen Baum geklettert. Der Wärter versucht, ihn mit einer schönen gelben Banane zu sich zu locken: „Komm, Bimbo! Hier gibt's was zu fressen!" Ob er nicht doch bald herunterkommt und sich fangen läßt?

1
7
20
12
8
4
14
18
16
17
19
3
15
2
13
5
21

In der Tierhandlung (23)

1 das Äffchen
2 das Aquarium
3 der Dackel
4 die Eidechse
5 der Frosch
6 der Goldfisch
7 der Goldhamster
8 das Halsband
9 der Kakadu
10 der Kanarienvogel
11 das Meerschweinchen
12 der Papagei
13 die Pfote
14 der Pudel
15 die Schildkröte
16 das Terrarium
17 der Vogelkäfig (das Vogelbauer)
18 die Wasserpflanze
19 die weiße Maus
20 der Wellensittich

Peter und Monika haben schon oft vor dem Schaufenster der Tierhandlung gestanden. Heute können sie endlich einmal hineingehen. Sie begleiten nämlich ihren Freund Klaus, der Futter für seine Goldhamster kaufen will.
Peter betrachtet sogleich interessiert die Vogelkäfige. Gerade heute hatte der Lehrer über die Singvögel gesprochen. „Oh, da ist ja der Dompfaff mit seinem dicken roten Bauch!" ruft er. Doch die meisten Vögel in der Tierhandlung kommen aus fremden Ländern. Von ihnen kennt er nur den Kanarienvogel mit seinem schönen gelben Federkleid. Er singt gerade sein schönstes Lied.
Klaus sieht den Eidechsen zu; sie bewegen sich so blitzschnell, daß er kaum mit den Augen folgen kann. Er würde gern so einen langen Schwanz anfassen. Aber leider ist die Glaswand dazwischen.
Monika merkt das alles nicht. Sie sieht auch nicht die vielen Fische mit ihren schillernden und seltsamen Formen. Sie hat nämlich einen jungen Dackel im Arm. „Ach bitte, bitte darf ich den mitnehmen?" bettelt sie. „Ich will auch ganz gut auf ihn aufpassen, und er darf auch bei mir im Bett schlafen, und . . ." Der Verkäufer freut sich, daß Monika so tierlieb ist. Aber er sagt: „Der Dackel ist noch ein bißchen klein. Wir wollen ihn hier noch ein wenig erziehen. In etwa drei bis vier Wochen ist er stubenrein. Dann kommst du mit deinen Eltern und nimmst ihn mit."

17
20
10
9
12
6
18
2
1
3
13
11
7
16
8
14
15
4
19
5

Auf der Autobahn (24)

1 der Abschleppwagen
2 der Anhänger
3 die Ausfahrt
4 die Bahre
5 die Blinklampe
6 die Brücke
7 der Bus (der Autobus, der Omnibus)
8 der Hubschrauber
9 der Krankenwagen
10 der Lastwagen
11 das Polizeiauto
12 der Polizist
13 der Reifen
14 die Tankstelle
15 der Tankwart
16 der Unfall
17 der Verletzte
18 das Warndreieck

Wer steht nicht gern auf der Brücke und schaut auf die Autobahn hinunter? Von fern her kommen die Autos heran; schwupp, flitzen sie unter der Brücke hindurch und brausen davon.
Heute aber entdecken die Kinder etwas ganz anderes: Die Polizei ist da, und der Krankenwagen hält am Rande der Autobahn. Dort liegt auch ein Verletzter auf der Bahre, und der Arzt beugt sich über ihn. –
Ein Unfall! Peter hat es gleich heraus, was da passiert ist: Ein Auto ist auf das andere gefahren, mit solcher Wucht, daß die Kühlerhaube ganz verbeult ist. „Warum steht denn auch der große Wagen auf der Fahrspur? Das ist doch verboten!" ruft Monika. „Ja, siehst du denn nicht?" sagt Peter. „Dem ist doch ein Reifen geplatzt, da mußte er schnell anhalten. Der andere Wagen war zu dicht dahinter, und bums, da war es passiert." „Ja, ja", meint Monika etwas klug, „so ist das, wenn man nicht aufpaßt!" – „Und so viele Autos stehen nun beisammen", sagt Peter. „Hoffentlich fährt da nicht noch einer hinein!" Monika antwortet wieder klug: „Da gibt die Polizei schon acht! Sieh, dort hinten hat sie ein Warndreieck und eine Blinklampe aufgestellt. So muß man es machen. Das sagt Vati auch immer."

1
2
3
4
5
6
7
8
9
10
11
12
13
14
15
16
17
18
K-TI 418
MA-IO 777
H-D-771

Weihnachten (25)

1 die Autorennbahn
2 der oder das Bonbon
3 das Christkind
4 der Engel
5 der Esel
6 das Gebäck
7 Joseph
8 die Kerze
9 die Krippe
10 die Kugel
11 die (das) Lametta
12 der Lebkuchen
13 Maria
14 das Marzipan
15 der Ochse
16 die Perlenkette
17 der Schlitten
18 der Schlittschuh
19 die Schokolade
20 der Ständer
21 der Stern
22 der Tannenbaum (der Christbaum, der Weihnachtsbaum)
23 das Weihnachtsgeschenk
24 der Weihnachtsstollen oder die Weihnachtsstolle
25 der Weihnachtsteller
26 die Zigarre

Nur einmal im Jahr dürfen die Kinder auch im Wohnzimmer spielen: an Weihnachten. Heute morgen war es noch verschlossen. Auch durch's Schlüsselloch konnte man nichts sehen.
Jetzt spielen dort gemeinsam Peter und Monika mit der neuen Autorennbahn. Schließlich muß es doch eine Wettfahrt geben! Das ist nicht so leicht, denn die Kurven müssen ganz vorsichtig gefahren werden. Der Wagen fliegt sonst aus der Bahn. Auf der geraden Strecke kann man dann wieder „Vollgas geben". Du siehst, Monikas neue Puppe Claudia darf auch mitspielen. Bei der Bescherung hatte sie unter dem Weihnachtsbaum auf dem neuen Rodelschlitten gesessen. Monika hatte sie mit einem Jubelruf in die Arme geschlossen und nicht mehr losgelassen.
Und was hat denn die Mutti da? Sie hält eine Perlenkette in den Händen. Vater freut sich, daß ihm diese Überraschung gelungen ist. Was hat er wohl bekommen?
Vor lauter Freude über die schönen Spielsachen haben Peter und Monika den schönen Weihnachtsbaum und die Krippe noch gar nicht bewundert. Aber das kommt noch! Laßt sie ruhig erst etwas müde werden.

21
22
10
8
11
26
24
23
16
20
17
6
2
25
Champion
18
19
5
13
7
15
14
4
12
9
3
1

Urlaub im Sommer (26)

1 der Badegast
2 der Campingplatz
3 die Düne
4 der Fisch
5 das Hotel
6 der Leuchtturm
7 das Meer
8 das Motorboot
9 die Möwe
10 die Muschel
11 das Ruderboot
12 die Sandburg
13 das Schilf
14 das Schlauchboot
15 die Schwimmflosse
16 der Schwimmring
17 das Segel
18 das Segelboot
19 das Sonnenöl
20 der Sonnenschirm
21 der Stein
22 der Strand
23 der Strandkorb
24 die Taucherbrille
25 die Welle
26 der Wohnwagen
27 das Zelt

Peter und Monika haben schon im vergangenen Sommer das Schwimmen gelernt. In diesem Jahr hat Vater den Kindern Schwimmflossen und eine Taucherbrille geschenkt. Heute, am ersten Urlaubstag an der See, darf Peter Flossen und Brille ausprobieren. Auf dem Bilde siehst du, daß der Vater ihm zeigt, wie mit den Flossen geschwommen wird. Peter darf vorerst nur dicht am Ufer damit schwimmen. Wenn er genügend geübt hat, wird Vater mit ihm weiter hinausschwimmen. „Dort werde ich dann den Meeresgrund erforschen!" verkündet Peter.

Mutter ist noch müde von der langen Reise. Sie hat es sich auf der Luftmatratze bequem gemacht. Die Sonne soll sie schön braun brennen. Plötzlich schleicht Monika mit dem großen blau-weißen Ball herbei. Er ist naß, und Monika will ihn der Mutter auf den Bauch werfen. Die aber hat es doch gemerkt. „Erschrecken gilt nicht! Laß uns lieber ein wenig mit dem Ball spielen. Nachher will ich unbedingt auch noch baden gehen", ruft sie.

Später gibt es im Wasser noch ein lustiges Familienspiel mit dem Ball, und alle spritzen sich tüchtig naß. Ob die Fische wohl auch mitspielen wollen? Einmal kommt der Ball dabei sogar hinter die Brandung. Vater schwimmt ganz schnell hinterher und holt den Ausreißer wieder zurück.

1
2
3
4
5
6
7
8
9
10
11
12
13
14
15
16
17
18
19
20
21
22
23
24
25
26
27

Im Hafen (27)

1 das Achterdeck
2 der Anker
3 die Boje
4 der Bug
5 der Dampfer
6 der Frachtkahn
7 das Heck
8 der Kai
9 die Kaimauer
10 der Mast
11 der Rauch
12 die Reling
13 das Rettungsboot
14 das Schiff
15 der Schiffsname
16 der Schlepper
17 der Schornstein
18 der Seemann
19 der Speicher
20 das Tau
21 das Vorderdeck

Die Ferien gehen nun leider zu Ende. Am letzten Tag gibt es noch etwas Besonderes: Der große Hafen wird angeschaut, und die Familie macht eine Hafenrundfahrt mit. Morgen soll die Heimreise angetreten werden. Da werden die Kinder zum ersten Mal in ihrem Leben fliegen.

Im Hafen weiß man gar nicht, wohin man zuerst gucken soll. So viele Schiffe sind da zu sehen und ein ganzer Wald von Kränen, mit denen sie beladen und entladen werden.

Peter und Monika stehen auf dem Vorderdeck des kleinen Motorbootes. Sie hören genau zu, was der Bootsführer ihnen über die Schiffe und den Hafen erzählt. Einige der Wörter hören sie zum ersten Mal: „Bug", „Heck", „Backbord" und „Steuerbord", „Reling", „Kai" und „Boje". Es ist nur gut, daß der Bootsführer dazu sagt, was das alles bedeutet.

Natürlich begeistern sich die Kinder am meisten für die großen Dampfer und die langen Frachtkähne. Kommt dir die „Mary Anne" vorn auf dem Bild nicht auch riesig vor? Der Bootsführer berichtet gerade, daß dieses Schiff seine Ladung gelöscht hat. Deshalb ragt es so weit aus dem Wasser. Wenn es in ein paar Tagen wieder voll beladen ist, wird der ganze rote Anstrich des Schiffes im Wasser verschwunden sein.

Ob unsere beiden Freunde Peter und Monika daheim noch alles wissen, was sie hier gesehen haben? Sie könnten dann ihren Schulkameraden sicher sehr viel erzählen und erklären.

20
18
12
15
MARY ANNE
XVII
XVI
XV
XIV
XIII
XII
XI
10
19
21
LOLA
2
4
13
14
1
8
11
7
5
17
6
16
HAFENRUNDFAHRT
3

Auf dem Flughafen (28)

1 der Anzug
2 das Cockpit
3 die Einstiegtür
4 das Fahrwerk
5 der Flügel
6 der Fluggast (der Passagier)
7 der Flugkapitän
8 das Flugzeug
9 die Gangway
10 das Geländer
11 das Hoheitszeichen
12 die Hose
13 die Jacke
14 der Kontrollturm
15 die Krawatte
16 die Mütze
17 das Radargerät
18 der Schlauch
19 der Schuh
20 die Stewardeß
21 der Streifen
22 der Tankwagen
23 die Tasche
24 das Ticket
25 die Treppe
26 die Uniform

Ganz toll war diese erste Reise mit dem Flugzeug! Da wurden die Städte und Flüsse immer kleiner und blieben zuletzt tief unten zurück. „Peter, jetzt fliegen wir zur Sonne!" hatte Monika gejubelt. Aber auch im Flugzeug selbst gab es noch sehr viel zu sehen, was die Kinder noch nicht kannten. Einen ganz kurzen Blick durften sie sogar in das Cockpit werfen. Dort sitzt der Flugkapitän mit seinen Leuten und steuert die Maschine.

Nun sind sie im Flughafen gelandet. Ein Auto hat die große Gangway herangefahren, damit die Fluggäste aussteigen können. Unten an der Treppe steht die nette Stewardeß, mit der Monika im Flugzeug gleich Freundschaft geschlossen hat.

„Was hast du denn da eigentlich in der Hand?" fragt der Vater seinen Sohn Peter. „Na, mein Ticket natürlich! Das will ich meinen Freunden zeigen", antwortet Peter. „So, so!" lacht der Vater, „und damit sie auch merken, daß du inzwischen ein paar englische Wörter gelernt hast! Die Wörter „Cockpit", „Gangway", „Ticket", „Stewardeß" kommen nämlich alle aus dem Englischen."

Die Reise, auf der du Peter und Monika durch ihre kleine und große Welt begleitet hast, ist nun zu Ende. Vielleicht hörst du später wieder einmal etwas von ihnen. Sie sind doch gewiß deine Freunde geworden.

Auf Wiedersehen!

Luftha
PAN AMERICAN
SWISSAIR
1
2
3
4
5
6
7
8
9
10
11
12
13
14
15
16
17
18
19
20
21
22
23
24
25
26

Hinweis zum Gebrauch des folgenden Wörterverzeichnisses:

Hinter einigen Wörtern steht eine fettgedruckte Zahl in Klammern:

Zum Beispiel: die **Ähre**; die Ähren **(18)**

Die Zahl bedeutet, daß es zu diesem Wort ein Bild auf den vorderen Bildtafeln gibt. In diesem Falle findest du das Bild zu dem Wort „Ähre“ auf der Bildtafel mit der Nummer 18.

Wörterverzeichnis

A

der **Aal;** die Aale

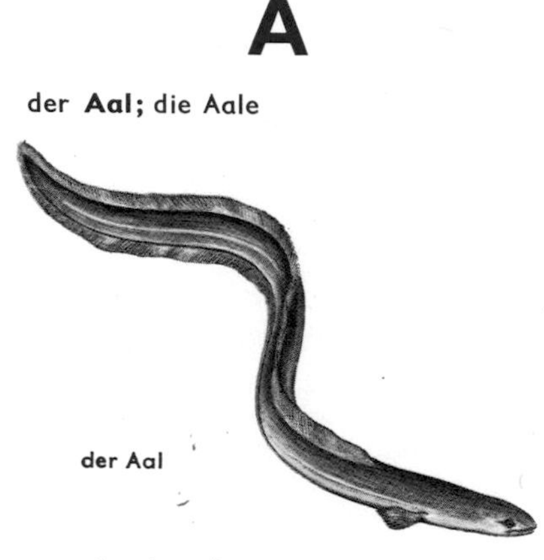
der Aal

ab; ab und zu
das **Abc (9)**
der **Abc-Schütze;** die Abc-Schützen
der **Abend;** die Abende; zu Abend essen; heute abend; Dienstag abend; abends; von morgens bis abends
das **Abendbrot**
das **Abendessen**
das **Abenteuer;** die Abenteuer
aber; es war dunkel, aber wir machten kein Licht
abfahren; der Zug fährt ab, der Zug ist abgefahren
abfallen; die Blätter fallen ab, die Blätter sind abgefallen
abgeben; er gibt seinem Bruder ein Stück Schokolade ab, er hat seinem Bruder ein Stück Schokolade abgegeben
abgemacht!
abgewöhnen; er gewöhnt sich das Daumenlutschen ab, er hat sich das Daumenlutschen abgewöhnt
abgucken; er guckt ab, er hat abgeguckt
abhauen; er haut ab, er ist abgehauen
abholen; er holt ihn ab, er hat ihn abgeholt
ablehnen; er lehnt meinen Vorschlag ab, er hat meinen Vorschlag abgelehnt
abmachen; er macht Kirschen ab, er hat Kirschen abgemacht
der **Abort;** die Aborte
abräumen; er räumt den Tisch ab, er hat den Tisch abgeräumt
die **Abrechnung;** die Abrechnungen
die **Abreise**
abreisen; er reist ab, er ist heute abgereist
abreißen; er reißt das Blatt ab, er hat das Blatt abgerissen
der **Absatz;** die Absätze (1. Treppenabsatz; 2. Schuhabsatz)

der Absatz

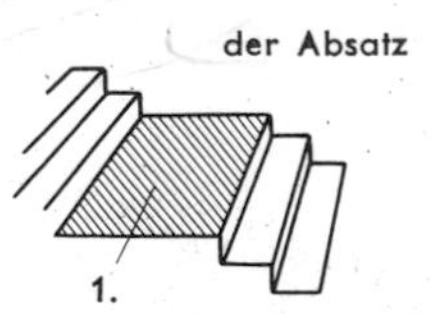

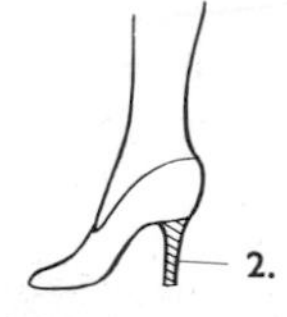

der **Abschied;** die Abschiede
abschleppen; er schleppt den Wagen ab, er hat den Wagen abgeschleppt
der **Abschleppwagen;** die Abschleppwagen **(24)**

abschneiden; er schneidet ein Stück Brot ab, er hat ein Stück Brot abgeschnitten
der **Absender**; die Absender
die **Absicht**; die Absichten
der **Abstand**; die Abstände
abstauben; sie staubt das Klavier ab, sie hat das Klavier abgestaubt
abtrocknen; er trocknet ab, er hat abgetrocknet
abwarten; er wartet ab; er hat abgewartet, bis der Vater fort war
abwärts; es geht mit ihm immer abwärts
abwaschen; er wäscht den Schmutz ab, er hat den Schmutz abgewaschen
sich **abwechseln**; sie wechseln sich bei dieser Arbeit ab, sie haben sich bei dieser Arbeit abgewechselt
die **Abwechslung**; die Abwechslungen
abwesend; er ist heute abwesend
abzählen; er zählt ab, er hat abgezählt
das **Abzeichen**; die Abzeichen
das **Abziehbild**; die Abziehbilder
die **Achse**; die Achsen
die **Achsel**; die Achseln
acht; der achte Mai
achtens
achtgeben; er gibt acht, er hat beim Überschreiten der Straße achtgegeben
achthundert
achtjährig
achtmal; er hat es achtmal versucht; a b e r: acht mal zwei (in Ziffern: 8 mal 2) ist sechzehn (16)
achttausend

der Adler

die **Achtung**; Achtung!
achtzehn
achtzig
der **Acker**; die Äcker
Adalbert
ade!; ade sagen
Adelheid
die **Ader**; die Adern
der **Adler**; die Adler
der **Admiral**; die Admirale (1. Befehlshaber zur See; 2. Schmetterling)

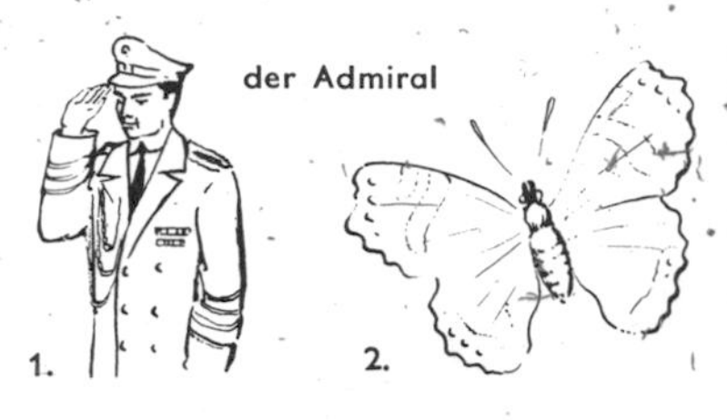

der Admiral

Adolf
die **Adresse**; die Adressen
der **Advent**
der **Affe**; die Affen **(22)**
affig; sei doch nicht so affig!
Afrika
Agnes
Ägypten
ah!; ah so!
ähnlich; er sieht seiner Mutter sehr ähnlich
die **Ahnung**; die Ahnungen
ahnungslos; er ist völlig ahnungslos
der **Ahorn**; die Ahorne
die **Ähre**; die Ähren **(18)**
albern; du alberst, er albert, er alberte, er hat gealbert, albere nicht!; das Mädchen ist albern
das **Album**; die Alben
Alfred
der **Alkohol**
alle; alles; alles Gute; alles übrige
allein; er ist den ganzen Tag allein
allemal; das verbiete ich dir ein für allemal
allerbeste; er ist am allerbesten; es ist das allerbeste, daß er schweigt
allerhand; das ist allerhand!

allerlei; heute gibt es allerlei Gutes
allerliebst; das Kind ist allerliebst
allerschönste; das ist am allerschönsten
allgemein; im allgemeinen
alljährlich; alljährlich kommt der Weihnachtsmann
allmonatlich; allmonatlich wird der Zähler abgelesen
der **Alltag**
alltäglich; er macht seinen alltäglichen Spaziergang
alltags; alltags wie sonntags
allwissend; keiner ist allwissend
allwöchentlich; allwöchentlich bringt der Kaufmann einen Kasten Bier
die **Alpen**
als; als wir nach Hause kamen, war meine Schwester schon da
also; na also!
alt; älter, am ältesten; er ist zehn Jahre alt
der **Altar**; die Altäre
das **Alter**; seit alters her
altklug; Erika ist sehr altklug
am; das ist am besten
der **Amboß**; des Ambosses, die Ambosse

der Amboß

die **Ameise**; die Ameisen
der **Ameisenhaufen**; die Ameisenhaufen
amen; er sagte zu allem ja und amen
Amerika
die **Amme**; die Ammen
die **Ampel**; die Ampeln **(6)**
die **Amsel**; die Amseln

die Amsel

das **Amt**; die Ämter
an; ich stehe an der Mauer, aber: er stellte sich an die Mauer
die **Ananas**; der Ananas, die Ananas und die Ananasse **(19)**
anbieten; er bietet ihm eine Zigarette an, er hat ihm eine Zigarette angeboten
anbinden; er bindet den Hund an, er hat den Hund angebunden
der **Anblick**
anbrennen; die Suppe brennt an, die Suppe ist angebrannt
die **Andacht**
andächtig; er hörte andächtig zu
andauernd; er stört mich andauernd
das **Andenken**; die Andenken
andere; der, die, das andere
andermal; ein andermal
ändern; du änderst, er ändert, er änderte, er hat seinen Plan geändert, ändere deinen Plan!
anders; er ist anders als ich
anderthalb; in anderthalb Stunden
die **Änderung**; die Änderungen
der **Andrang**

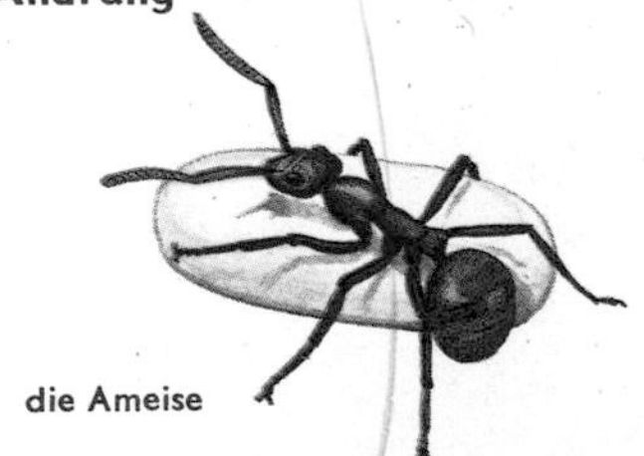

die Ameise

Andreas
aneinander; wir wollen aneinander denken
anfahren; er fährt mit dem Auto an, er ist mit dem Auto angefahren, aber: er hat eine alte Frau angefahren
der **Anfang;** die Anfänge
anfangen; er fängt an, er hat mit der Schlägerei angefangen
der **Anfänger;** die Anfänger
anfassen; er faßt mich an, er hat mich angefaßt
angeben; er gibt an, er hat gewaltig angegeben
der **Angeber;** die Angeber
die **Angel;** die Angeln

die Angel

angeln; du angelst, er angelt, er angelte, er hat geangelt
angenehm; das ist sehr angenehm
angenommen; angenommen er hat recht
das **Angesicht;** die Angesichter und die Angesichte
sich **angewöhnen;** er gewöhnte sich das lange Schlafen an, er hat sich das lange Schlafen angewöhnt
der **Angler;** die Angler
angreifen; er greift an, er hat angegriffen
der **Angriff;** die Angriffe
die **Angst;** die Ängste; er hat Angst; mir ist angst und bange
ängstlich; er ist sehr ängstlich
anhaben; sie hat ein schönes Kleid an, sie hat ein schönes Kleid angehabt
anhalten; er hält an, er hat den Wagen angehalten
der **Anhänger;** die Anhänger **(24)**
der **Anker;** die Anker **(27)**
ankommen; der Zug kommt an, der Zug ist angekommen
die **Ankunft**
der **Anlauf;** die Anläufe
anmachen; er macht das Licht an, er hat das Licht angemacht
anmalen; er malt einen Mann an, er hat einen Mann angemalt
Anna
der **Anorak;** die Anoraks
die **Anrede;** die Anreden
ansehen; er sieht mich an, er hat mich angesehen
die **Ansichtskarte;** die Ansichtskarten
sich **anstrengen;** du strengst dich an, er strengt sich an, er strengte sich an, er hat sich angestrengt, strenge dich an!
anstrengend; das war sehr anstrengend
die **Antenne;** die Antennen
Anton
die **Antwort;** die Antworten
antworten; du antwortest, er antwortet, er antwortete, er hat geantwortet, antworte!
anwesend; es waren alle Schüler anwesend
die **Anzahl**
anziehen; er zieht seinen besten Anzug an, er hat seinen besten Anzug angezogen; sich anziehen, zieh dich bitte an!
der **Anzug;** die Anzüge **(28)**
anzünden; er zündet das Streichholz an, er hat das Streichholz angezündet
der **Apfel;** die Äpfel **(4)**
der **Apfelbaum;** die Apfelbäume
die **Apfelsine;** die Apfelsinen **(19)**
der **Apostel;** die Apostel
die **Apotheke;** die Apotheken **(6)**
der **Apotheker;** die Apotheker
der **Apparat;** die Apparate

der **Appetit**
die **Aprikose;** die Aprikosen **(20)**
der **April;** des April und des Aprils
das **Aquarium;** die Aquarien **(23)**
die **Arbeit;** die Arbeiten
arbeiten; du arbeitest, er arbeitet, er arbeitete, er hat viel gearbeitet, arbeite!
der **Arbeiter;** die Arbeiter **(15)**
arg; ärger, am ärgsten; der Koffer ist arg schwer
der **Ärger**
ärgerlich; das ist sehr ärgerlich
ärgern; du ärgerst ihn, er ärgert ihn, er ärgerte ihn, er hat ihn geärgert, ärgere ihn nicht!; er hat sich geärgert
arm; ärmer, am ärmsten; arme Leute
der **Arm;** die Arme
der **Ärmel;** die Ärmel
Armin
ärmlich; er ist ärmlich gekleidet
Arnold
artig; ein artiges Kind
die **Arznei;** die Arzneien **(12)**
der **Arzt;** die Ärzte **(12)**
die **Ärztin;** die Ärztinnen
die **Asche**
der **Aschenbecher;** die Aschenbecher **(3)**
Asien
der **Asphalt**
aß siehe essen
der **Ast;** die Äste **(4)**
der **Astronaut;** des Astronauten, die Astronauten **(13)**
der **Atem;** er ist außer Atem
der **Atlas;** die Atlasse oder die Atlanten
atmen; du atmest, er atmet, er atmete, er hat geatmet
au!; auweh
auch; Karl kommt auch
auf; das Buch liegt auf dem Tisch, aber: ich lege das Buch auf den Tisch; auf und ab; auf und davon gehen
aufeinander; wir legten die Bretter aufeinander
der **Aufenthalt;** die Aufenthalte

auffressen; der Hund frißt das Fleisch auf, der Hund hat das Fleisch aufgefressen
die **Aufgabe;** die Aufgaben
aufgehen; die Sonne geht auf, die Sonne ist um 6 Uhr aufgegangen
aufgepaßt!
aufgeregt; sei doch nicht so aufgeregt!
aufgeweckt; er ist sehr aufgeweckt
aufhaben; wir haben viel auf, wir haben für die Schule viel aufgehabt; er hat eine Mütze aufgehabt
aufhängen; er hängt den Mantel auf, er hat den Mantel aufgehängt
aufheben; er hebt sich die Schokolade auf, er hat sich die Schokolade aufgehoben
aufhetzen; er hetzt ihn auf, er hat ihn aufgehetzt
aufhören; der Regen hört auf, der Regen hat aufgehört; höre endlich auf, mich zu ärgern!
aufmachen; er macht die Tür auf, er hat die Tür aufgemacht
aufmerksam; sei aufmerksam!
aufpassen; er paßt auf, er hat aufgepaßt
aufräumen; er räumt sein Zimmer auf, er hat sein Zimmer aufgeräumt
aufrecht; aufrecht sitzen
sich **aufregen;** du regst dich auf, er regt sich auf, er regte sich auf, er hat sich aufgeregt, rege dich doch nicht auf!
aufregend; der Film war sehr aufregend
aufreißen; er reißt die Tür auf, er hat die Tür aufgerissen
aufrichtig; es tut mir aufrichtig leid
aufsagen; er sagt das Gedicht auf, er hat das Gedicht aufgesagt
der **Aufsatz;** die Aufsätze
aufschreiben; er schreibt die Zahl auf, er hat die Zahl aufgeschrieben
aufspringen; er springt auf, er ist aufgesprungen

aufstehen; er steht auf, er ist aufgestanden
aufstellen; er stellt die Figuren auf, er hat die Figuren aufgestellt
auf und davon; er machte sich auf und davon
aufwachen; du wachst auf, er wacht auf, er wachte auf, er ist aufgewacht, wache auf!
aufwärts; der Fahrstuhl fährt aufwärts
aufziehen; er zieht die Uhr auf, er hat die Uhr aufgezogen
das **Auge**; die Augen **(10)**
der **Augenblick**; die Augenblicke
der **August**; des August[s] (Monat)
August (Vorname)
aus; aus und ein gehen
die **Ausdauer**
ausdauernd; er ist ein ausdauernder Schwimmer
der **Ausdruck**; die Ausdrücke
ausdrücklich; ich verbiete es dir ausdrücklich
auseinander; der Lehrer setzte die beiden Schwätzer auseinander
der **Ausflug**; die Ausflüge
ausführlich; er erzählte die Geschichte ganz ausführlich
der **Ausgang**; die Ausgänge
ausgehen; er geht heute abend aus, er ist heute abend ausgegangen
ausgelassen; die Kinder waren auf dem Fest sehr ausgelassen
ausgeschlossen; das ist ganz ausgeschlossen
der **Ausguß**; des Ausgusses, die Ausgüsse
die **Auskunft**; die Auskünfte
auslachen; er lacht ihn aus, er hat ihn ausgelacht
ausleeren; er leert den Eimer aus, er hat den Eimer ausgeleert
ausmachen; er macht das Licht aus, er hat das Licht ausgemacht
der **Auspuff**; die Auspuffe
ausreißen; er reißt das Unkraut aus, er hat das Unkraut ausgerissen, a b e r: er ist zu Hause ausgerissen, reiße nicht aus!
der **Ausreißer**; die Ausreißer
das **Ausrufezeichen**; die Ausrufezeichen
sich **ausruhen**; er ruht sich aus, er hat sich ausgeruht
ausrutschen; du rutschst aus, er rutscht aus, er rutschte aus, er ist ausgerutscht, rutsche nicht aus!
ausschlafen; er schläft aus, er hat ausgeschlafen
aussehen; er sieht gut aus, er hat gestern schlecht ausgesehen
außen; innen und außen
außer; ich bin außer mir
außerdem; er ist außerdem noch faul
die **Aussicht**; die Aussichten
die **Aussprache**; die Aussprachen
aussteigen; er steigt am Theater aus, er ist am Theater ausgestiegen
Australien
austrinken; er trinkt die Milch aus, er hat die Milch ausgetrunken
auswärts; auswärts essen
der **Ausweis**; die Ausweise

der Ausweis

auswendig; etwas auswendig lernen
ausziehen; er zieht den Rock aus, er hat den Rock ausgezogen; sich ausziehen, zieh dich aus!
das **Auto**; die Autos **(6)**; Auto fahren
die **Autobahn**; die Autobahnen **(24)**
der **Autobus**; des Autobusses, die Autobusse **(24)**
der **Autofahrer**; die Autofahrer **(6)**
der **Automat**; des Automaten, die Automaten **(6)**
autsch!
auweh!
die **Axt**; die Äxte

B

das **Baby;** des Babys, die Babys
der **Bach;** die Bäche **(18)**
die **Backe;** die Backen
backen; der Bäcker bäckt, der Bäcker backte (älter: buk), der Bäcker hat das Brot gebacken, backe den Kuchen!
der **Backenzahn;** die Backenzähne
der **Bäcker;** die Bäcker
der **Backstein;** die Backsteine
das **Bad;** die Bäder
der **Badeanzug;** die Badeanzüge **(11)**
die **Badehose;** die Badehosen **(11)**
der **Bademantel;** die Bademäntel **(11)**
die **Bademütze;** die Bademützen **(11)**
baden; du badest, er badet, er badete, er hat gebadet, bade jetzt!
das **Badetuch;** die Badetücher **(11)**
die **Badewanne;** die Badewannen **(5)**
das **Badezimmer;** die Badezimmer **(5)**
baff; er ist baff
der **Bagger;** die Bagger

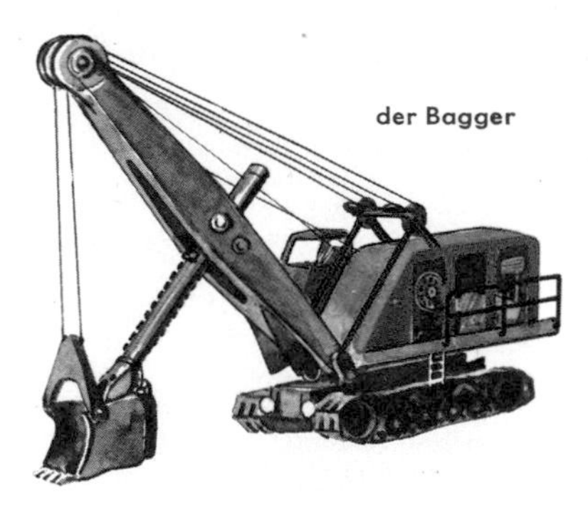

der Bagger

die **Bahn;** die Bahnen (1. Eisenbahn; 2. 100-Meter-Bahn)
der **Bahnhof;** die Bahnhöfe **(14)**
der **Bahnsteig;** die Bahnsteige **(14)**
die **Bahre;** die Bahren **(24)**
bald; sie werden bald hier sein
der **Balken;** die Balken **(21)**
der **Balkon;** des Balkons, die Balkone

der **Ball;** die Bälle (1. Spielzeug; 2. Tanzvergnügen); Ball spielen, aber: das Ballspielen

der Ball

1. 2.

der **Ballon;** des Ballons, die Ballone und die Ballons
die **Banane;** die Bananen **(19)**
band siehe binden
das **Band;** die Bänder
bang und **bange;** banger und bänger; am bangsten und am bängsten; mir ist angst und bang[e]; einem bange machen

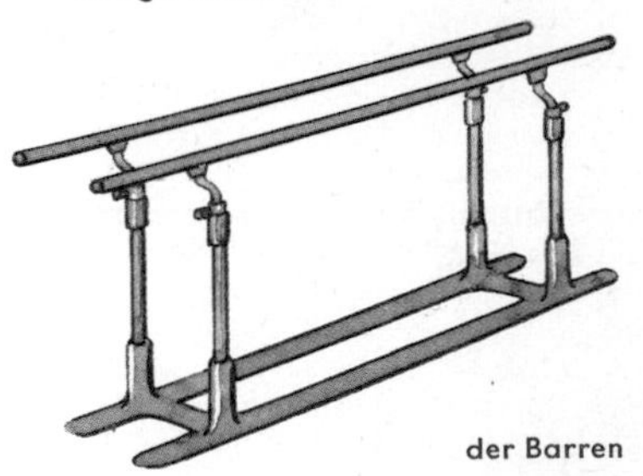

der Barren

die **Bank;** die Bänke (Sitzgelegenheit); **(14)**
die **Bank;** die Banken (Kreditinstitut)
der **Bär;** des Bären, die Bären **(22)**
die **Baracke;** die Baracken
Barbara
barfuß; barfuß gehen
der **Barren;** die Barren

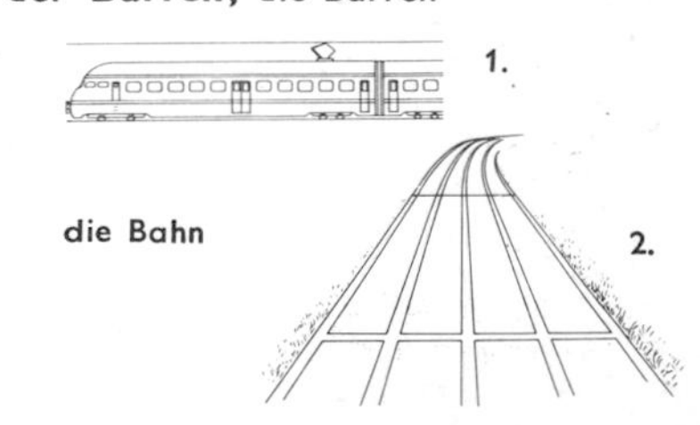

die Bahn

1. 2.

der **Bart;** die Bärte (1. Backenbart; 2. Schlüsselbart)

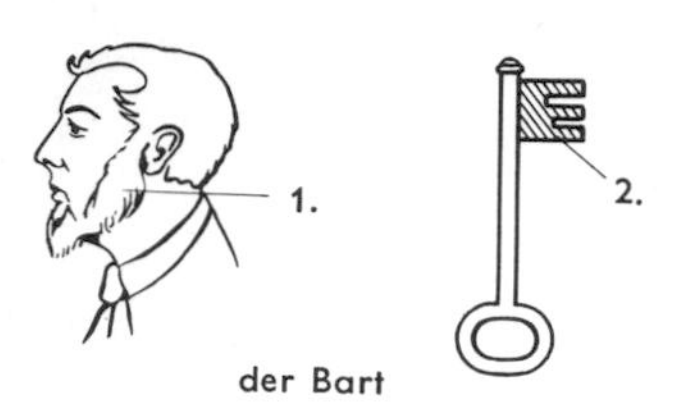

der Bart

die **Base** (die Kusine); die Basen
der **Baß**; des Basses, die Bässe
basteln; du bastelst, er bastelt, er bastelte, er hat einen Turm aus Streichhölzern gebastelt
bat siehe bitten
die **Batterie;** die Batterien
der **Bau;** die Bauten
der **Bauch;** die Bäuche
die **Bauchschmerzen**
bauen; du baust, er baut, er baute, er hat ein Haus gebaut, baue dir auch ein Haus!
der **Bauer;** des Bauern und des Bauers, die Bauern **(16)**
die **Bäuerin;** die Bäuerinnen **(16)**
das **Bauernhaus;** die Bauernhäuser **(16)**
der **Bauernhof;** die Bauernhöfe **(16)**
der **Bauklotz;** die Bauklötze **(2)**
der **Baum;** die Bäume **(18)**
der **Baumstamm;** die Baumstämme
der **Bauplatz;** die Bauplätze
die **Baustelle;** die Baustellen **(21)**
Bayern; bayrisch
der **Becher;** die Becher **(5)**
das **Becken;** die Becken
sich **bedanken;** du bedankst dich, er bedankt sich, er bedankte sich, er hat sich bedankt, bedanke dich bei ihm!
bedauern; du bedauerst ihn, er bedauert ihn, er bedauerte ihn, er hat ihn bedauert, bedauere ihn!
bedecken; du bedeckst ihn, er bedeckt ihn, er hat ihn bedeckt, bedecke ihn mit deinem Mantel!
bedeuten; was bedeutet das?, das hat viel bedeutet
bedienen; du bedienst ihn, er bedient ihn, er bediente ihn, er hat ihn bedient, bediene die Gäste!
bedrohen; du bedrohst ihn, er bedroht ihn, er bedrohte ihn, er hat ihn bedroht, bedrohe ihn nicht!
sich **beeilen;** du beeilst dich, er beeilt sich, er beeilte sich, er hat sich beeilt, beeile dich!
beerdigen; man beerdigt ihn, man beerdigte ihn, man hat ihn beerdigt
die **Beerdigung;** die Beerdigungen
die **Beere;** die Beeren

die Beere

das **Beet;** die Beete **(4)**
befahl siehe befehlen
befand siehe befinden
der **Befehl;** die Befehle
befehlen; du befiehlst, er befiehlt, er befahl, er hat befohlen, befiehl es ihm!
sich **befinden;** du befindest dich, er befindet sich, er befand sich, er hat sich in Mannheim befunden
befohlen siehe befehlen
befreien; du befreist ihn, er befreit ihn, er befreite ihn, er hat ihn befreit, befreie ihn!
sich **befreunden;** du befreundest dich mit ihm, er befreundet sich mit ihm, er befreundete sich mit ihm, er hat sich mit ihm befreundet, befreunde dich mit ihm!
befunden siehe befinden
begabt; er ist sehr begabt
begann siehe beginnen
begegnen; du begegnest ihm, er begegnet ihm, er begegnete ihm, er ist ihm begegnet
beginnen; ich beginne, du beginnst, ich begann, ich habe mit der Arbeit begonnen, beginne endlich mit deiner Arbeit!

begleiten; du begleitest mich, er begleitet mich, er begleitete mich, er hat mich begleitet, begleite mich!
beglückwünschen; du beglückwünschst ihn, er beglückwünscht ihn, er beglückwünschte ihn, er hat ihn beglückwünscht, beglückwünsche ihn!
begonnen siehe beginnen
begraben; du begräbst, er begräbt, er begrub, er hat den toten Hund begraben, begrabe den toten Hund!
begreifen; du begreifst, er begreift, er begriff, er hat begriffen, begreife doch endlich!
begrub siehe begraben
begrüßen; du begrüßt ihn, er begrüßt ihn, er begrüßte ihn, er hat ihn begrüßt, begrüße ihn!
behaglich; hier ist es sehr behaglich
behalten; du behältst, er behält, er behielt, er hat das Buch behalten, behalte das Buch!
behaupten; du behauptest, er behauptet, er behauptete; er hat behauptet, du hättest gelogen; behaupte dies doch nicht immer!
behielt siehe behalten
bei; bleibe bei mir!
beide; die beiden
beieinander; jetzt sind sie endlich beieinander
der **Beifall**
das **Beil;** die Beile

das Beil

beim; beim (bei dem) Spielen
das **Bein;** die Beine **(10)**
beinah, beinahe; er wäre beinah ertrunken
beisammen; sie stehen immer beisammen
das **Beispiel;** die Beispiele; zum Beispiel
beißen; du beißt, er beißt, er biß, er hat gebissen, beiße!
bekam siehe bekommen
bekannt; das ist mir bekannt
sich **beklagen;** du beklagst dich, er beklagt sich, er beklagte sich, er hat sich über die schlechte Behandlung beklagt, beklage dich nicht immer!
bekommen; du bekommst, er bekommt, er bekam, er hat einen neuen Anzug bekommen
beladen; du belädst, er belädt, er belud, er hat den Wagen beladen, belade den Wagen!
belästigen; du belästigst ihn, er belästigt ihn, er belästigte ihn, er hat ihn belästigt, belästige ihn nicht!
beleidigen; du beleidigst ihn, er beleidigt ihn, er beleidigte ihn, er hat ihn beleidigt, beleidige ihn nicht!
beleidigt; er ist beleidigt
Belgien
beliebt; er ist sehr beliebt
bellen; der Hund bellt, der Hund bellte, der Hund hat gebellt
belog, belogen siehe belügen
die **Belohnung;** die Belohnungen
belud siehe beladen
belügen; du belügst mich, er belügt mich, er belog mich, er hat mich belogen, belüge mich nicht!
bemerken; du bemerkst, er bemerkt, er bemerkte, er hat ihn sofort bemerkt
die **Bemerkung;** die Bemerkungen
sich **benehmen;** du benimmst dich schlecht, er benimmt sich schlecht, er benahm sich schlecht, er hat sich schlecht benommen, benimm dich besser!
beneiden; du beneidest ihn, er beneidet ihn, er beneidete ihn, er hat ihn beneidet, beneide ihn nicht!
der **Bengel;** die Bengel
benimm!, benommen siehe benehmen
benutzen; du benutzt, er benutzt, er benutzte; er hat die günstige Gelegenheit benutzt, sich einen Vor-

teil zu verschaffen; benutze diese Gelegenheit!

das **Benzin**

beobachten; du beobachtest, er beobachtet, er beobachtete, er hat gut beobachtet, beobachte ihn genau!

bequem; dieser Stuhl ist sehr bequem

beraten; du berätst ihn, er berät ihn, er beriet ihn, er hat ihn beraten, berate ihn!

bereit; wir sind zum Abmarsch bereit

bereits; es ist bereits 10 Uhr

bereuen; du bereust, er bereut, er bereute, er hat seine Tat bereut

der **Berg;** die Berge

bergab, bergauf

berichten; du berichtest, er berichtet, er berichtete, er hat über seine Ferienerlebnisse berichtet, berichte darüber!

beriet siehe beraten

Berlin

Bernhard

Berta

Bertold und **Berthold**

der **Beruf;** die Berufe

beruhigen; du beruhigst ihn, er beruhigt ihn, er beruhigte ihn, er hat ihn beruhigt, beruhige ihn!

berühmt; er ist sehr berühmt

berühren; du berührst ihn, er berührt ihn, er berührte ihn, er hat ihn berührt, berühre ihn nicht!

beschäftigen; du beschäftigst ihn, er beschäftigt ihn, er beschäftigte ihn, er hat ihn beschäftigt, beschäftige ihn!

der **Bescheid;** Bescheid geben, sagen

die **Bescheidenheit**

die **Bescheinigung;** die Bescheinigungen

bescheren; du bescherst, er beschert, er bescherte, er hat beschert, beschere den Kindern Spielzeug!

die **Bescherung**

beschimpfen; du beschimpfst ihn, er beschimpft ihn, er beschimpfte ihn, er hat ihn beschimpft, beschimpfe ihn nicht!

beschmieren; du beschmierst, er beschmiert, er beschmierte, er hat die Wände beschmiert, beschmiere sie nicht!; er hat sich beschmiert

beschmutzen; du beschmutzt, er beschmutzt, er beschmutzte, er hat seine Jacke beschmutzt, beschmutze deine Finger nicht!

beschreiben; du beschreibst, er beschreibt, er beschrieb, er hat den Unfall gut beschrieben, beschreibe diesen Vorgang!

beschützen; du beschützt ihn, er beschützt ihn, er beschützte ihn, er hat ihn beschützt, beschütze ihn!

sich **beschweren;** du beschwerst dich, er beschwert sich, er beschwerte sich, er hat sich beim Direktor beschwert, beschwere dich doch!

der **Besen;** die Besen **(17)**

besichtigen; du besichtigst, er besichtigt, er besichtigte, er hat den Dom besichtigt, besichtige den Dom!

besiegen; du besiegst ihn, er besiegt ihn, er besiegte ihn, er hat ihn besiegt, besiege ihn!

besitzen; du besitzt, er besitzt, er besaß, er hat ein Auto besessen

besonders; der Kuchen ist besonders gut

besorgen; du besorgst, er besorgt, er besorgte, er hat ein Geschenk für die Mutter besorgt, besorge eine Kleinigkeit!

besser siehe gut

beste; das ist am besten; es ist das beste

das **Besteck,** die Bestecke

das Besteck

bestellen; du bestellst, er bestellt, er bestellte, er hat beim Ober ein Stück Kuchen bestellt, bestelle dir auch ein Stück Kuchen!
bestimmt!; er kommt bestimmt!
bestrafen; du bestrafst ihn, er bestraft ihn, er bestrafte ihn, er hat ihn bestraft, bestrafe ihn nicht so hart!
der **Besuch;** die Besuche
besuchen; du besuchst, er besucht, er besuchte, er hat seinen Onkel besucht, besuche ihn!
beten; du betest, er betet, er betete, er hat ein Vaterunser gebetet, bete!
betonen; du betonst, er betont, er betonte, er hat dies besonders betont, betone dieses Wort!
die **Betonung;** die Betonungen
betrachten; du betrachtest, er betrachtet, er betrachtete, er hat das Bild betrachtet, betrachte es genau!
sich **betragen;** du beträgst dich gut, er beträgt sich gut, er betrug sich gut, er hat sich gut betragen, betrage dich gut!
das **Betragen**
betreten; du betrittst, er betritt, er betrat, er hat das Zimmer betreten, betritt bitte nicht diesen Raum!
der **Betrieb;** die Betriebe; etwas in Betrieb setzen
der **Betrug**
betrügen; du betrügst ihn, er betrügt ihn, er betrog ihn, er hat seinen Freund betrogen, betrüge ihn nicht!
der **Betrüger;** die Betrüger
das **Bett;** die Betten **(2)**; zu Bett gehen
die **Bettdecke;** die Bettdecken
betteln; du bettelst, er bettelt, er bettelte, er hat gebettelt, bettele nicht!
der **Bettler;** die Bettler
das **Bettuch;** die Bettücher
beugen; du beugst, er beugt, er beugte, er hat den Arm gebeugt, beuge den Arm!
die **Beule;** die Beulen
die **Beute**
der **Beutel;** die Beutel
bevor; du mußt dir die Zähne putzen, bevor du ins Bett gehst
bewachen; du bewachst, er bewacht, er bewachte, er hat das Lager bewacht, bewache das Lager!
bewegen; du bewegst, er bewegt, er bewegte, er hat den Stuhl bewegt, bewege den Stuhl!
die **Bewegung;** die Bewegungen
der **Beweis;** die Beweise
beweisen; du beweist, er beweist, er bewies, er hat es bewiesen, beweise es!
bewußtlos; sie trugen ihn bewußtlos nach Hause
bezahlen; du bezahlst, er bezahlt, er bezahlte, er hat die Rechnung bezahlt, bezahle die Rechnung!
die **Bibel;** die Bibeln

der Biber

der **Biber;** die Biber
biegen; du biegst, er biegt, er bog, er hat den Draht gebogen, biege den Draht!

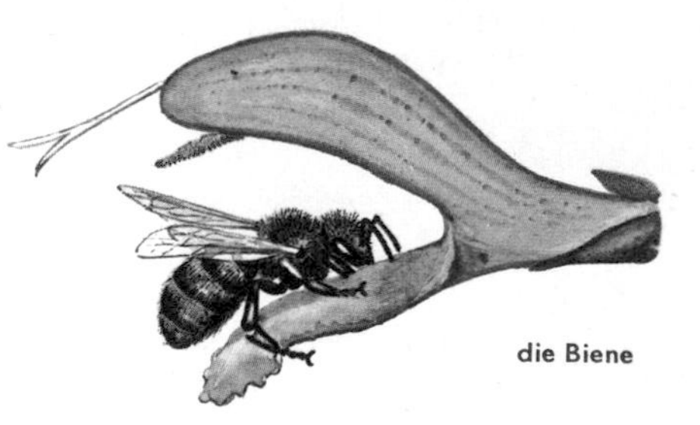

die Biene

die **Biene;** die Bienen
das **Bier;** die Biere
das **Biest** (Schimpfwort); die Biester

bieten; du bietest, er bietet, er bot, er hat mir 10 Mark dafür geboten, biete einen hohen Preis dafür!
das **Bild;** die Bilder **(3)**
das **Bilderbuch;** die Bilderbücher
billig; ein billiges Auto
bimmeln; du bimmelst, er bimmelt, er bimmelte, er hat mit der Glocke gebimmelt, bimmle nicht dauernd mit der Glocke!
bin siehe sein
die **Binde;** die Binden
binden; du bindest, er bindet, er band, er hat die Blumen gebunden, binde dir einen Knoten ins Taschentuch!
die **Birke;** die Birken **(18)**
die **Birne;** die Birnen (1. Glühbirne; 2. Frucht)

die Birne

bis; bis hierher
biß siehe beißen
der **Biß;** des Bisses, die Bisse
bißchen; ein bißchen Salz
bist siehe sein
bitte!
die **Bitte;** die Bitten
bitten; du bittest, er bittet, er bat, er hat um Hilfe gebeten, bitte ihn um Verzeihung!
bitter; eine bittere Pille
sich **blamieren;** du blamierst dich, er blamiert sich, er blamierte sich, er hat sich blamiert, blamiere dich nicht!
blank; blanke Stiefel
die **Blase;** die Blasen
blasen; du bläst, er bläst, er blies, er hat die Trompete geblasen, blase die Trompete!
blaß, blasser, am blassesten; er sieht sehr blaß aus
bläst siehe blasen
das **Blatt;** die Blätter **(4)**
blättern; du blätterst, er blättert, er blätterte, er hat im Buch geblättert, blättere nicht dauernd in diesem Buch!
blau; der Himmel ist blau
die **Blaubeere;** die Blaubeeren **(20)**
das **Blech;** die Bleche
das **Blei** (ein Metall)
bleiben; du bleibst, er bleibt, er blieb, er ist dort geblieben, bleibe hier!
bleich; sie hat ein bleiches Gesicht
der **Bleistift;** die Bleistifte **(9)**
blenden; das Licht blendet mich, das Licht hat mich geblendet
der **Blick;** die Blicke
blicken; du blickst, er blickt, er blickte, er hat geradeaus geblickt, blicke geradeaus!
blieb siehe bleiben
blies siehe blasen
blind; ein blinder Mann
Blindekuh; Blindekuh spielen
die **Blinklampe;** die Blinklampen **(24)**
blinzeln; du blinzelst, er blinzelt, er blinzelte, er hat geblinzelt, blinzele nicht!
der **Blitz;** die Blitze
blitzblank; die Küche ist blitzblank
blitzen; es blitzt, es blitzte, es hat geblitzt
der **Block;** die Blöcke oder die Blocks (Blöcke gilt für Stein- oder Holzblöcke; Blocks gilt für die Mehrzahl von 1. Zeichenblock und 2. Häuserblock)

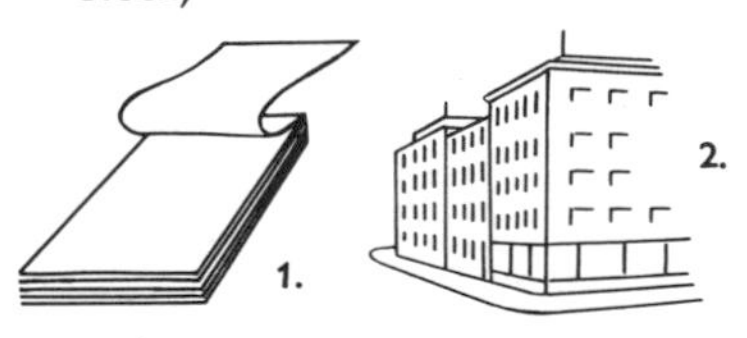

der Block

die **Blockflöte;** die Blockflöten **(9)**
blöd und **blöde;** am blödesten; ein blöder Kerl
der **Blödsinn**
blond; ein blondes Mädchen
bloß; er ist nicht dumm, er ist bloß faul

blühen; die Blume blüht, die Blume blühte, die Blume hat geblüht
die **Blume;** die Blumen **(4)**
der **Blumenkohl (4)**
der **Blumenstrauß;** die Blumensträuße
der **Blumentopf;** die Blumentöpfe
die **Bluse;** die Blusen
das **Blut (12)**
die **Blüte;** die Blüten **(4)**
bluten; du blutest, er blutet, er blutete, er hat geblutet
blutig; blutige Finger
der **Bob;** die Bobs

der Bob

die **Bobbahn;** die Bobbahnen
der **Bock;** die Böcke (1. Ziegenbock;

der Bock

2. Kutschbock; 3. Turngerät); Bock springen; aber: das Bockspringen
bockig; ein bockiges Kind
der **Boden;** die Böden **(17)**
bog siehe biegen
der **Bogen;** die Bogen (1. in der Baukunst; 2. zum Schießen; 3. Geigenbogen)

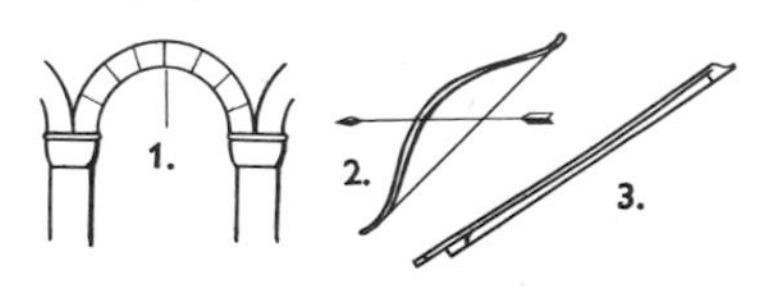

der Bogen

die **Bohne;** die Bohnen **(19)**
der **Bohnenkaffee**
die **Bohnenstange;** die Bohnenstangen
bohren; du bohrst, er bohrt, er bohrte, er hat ein Loch gebohrt, bohre nicht in der Nase!
der **Bohrer;** die Bohrer
der **Boiler;** die Boiler **(5)**
die **Boje;** die Bojen **(27)**
die **Bombe;** die Bomben
der **Bonbon** und das **Bonbon;** des Bonbons, die Bonbons **(25)**
das **Boot;** die Boote
bös und **böse;** ein böses Kind
bot siehe bieten
der **Bote;** die Boten
boxen; du boxt, er boxt, er boxte, er hat geboxt, boxe mit ihm!
der **Boxer;** die Boxer (1. Sportler; 2. ein Hund)

der Boxer

brach siehe brechen
brachte siehe bringen
der **Brand;** die Brände
brannte siehe brennen
braten; du brätst, sie brät, sie briet, sie hat den Fisch gebraten, brate den Fisch!
der **Braten;** die Braten **(1)**
brauchen; du brauchst, er braucht, er brauchte, er hat einen neuen Hut gebraucht
braun; ein braunes Kleid
braungebrannt; braungebrannt kam er aus den Ferien
die **Brause;** die Brausen **(5)**
brausen; du braust, er braust, er brauste, er hat gebraust; der Wind braust über die Felder
die **Braut;** die Bräute
der **Bräutigam;** die Bräutigame

brav, braver, am bravsten; ein braves Kind
bravo!
brechen; der Ast bricht, der Ast brach, der Ast ist gebrochen; aber: er hat gebrochen (er hat sich übergeben)
der **Brei;** die Breie
breit; ein breiter Fluß
die **Bremse;** die Bremsen (1. Insekt; 2. Hemmvorrichtung)

die Bremse

bremsen; du bremst, er bremst, er bremste, er hat zu spät gebremst, bremse früher!
brennen; das Haus brennt, das Haus brannte, das Haus hat gebrannt
die **Brennessel;** die Brennesseln
das **Brett;** die Bretter **(21)**
das **Brettchen;** die Brettchen **(1)**
der **Bretterzaun;** die Bretterzäune **(21)**
die **Brezel;** die Brezeln
brich siehe brechen
der **Brief;** die Briefe **(7)**
der **Briefkasten;** die Briefkästen **(15)**
die **Briefmarke;** die Briefmarken **(7)**
briet siehe braten
Brigitte
die **Brille;** die Brillen **(3)**
bringen; du bringst, er bringt, er brachte, er hat den Korb gebracht, bringe ihm das Essen!
der **Brocken;** die Brocken
die **Brombeere; die Brombeeren**
die **Brosche;** die Broschen
das **Brot;** die Brote
das **Brötchen;** die Brötchen
die **Brücke;** die Brücken **(24)**
der **Bruder;** die Brüder
die **Brühe**
brüllen; du brüllst, er brüllt, er brüllte, er hat gebrüllt, brülle nicht!
brummen; du brummst, er brummt, er brummte, er hat gebrummt, brumme nicht!
Brunhild
der **Brunnen;** die Brunnen **(15)**
Bruno
die **Brust;** die Brüste **(10)**
die **Brut**
brüten; das Huhn brütet, das Huhn brütete, das Huhn hat gebrütet
das **Buch;** die Bücher **(3)**

die Buche

die **Buche;** die Buchen
das **Bücherregal;** die Bücherregale **(3)**
der **Buchfink;** des Buchfinken, die Buchfinken
die **Buchhandlung;** die Buchhandlungen
die **Büchse;** die Büchsen
der **Buchstabe;** des Buchstabens, die Buchstaben **(9)**
buchstabieren; du buchstabierst, er buchstabiert, er buchstabierte, er hat buchstabiert, buchstabiere dieses Wort!
die **Bucht;** die Buchten
der **Buckel;** die Buckel
sich **bücken;** du bückst dich, er bückt sich, er bückte sich, er hat sich gebückt, bücke dich!
bucklig und **buckelig;** eine bucklige, alte Frau
die **Bude;** die Buden
das **Bügeleisen;** die Bügeleisen
bügeln; du bügelst, sie bügelt, sie

bügelte, sie hat gebügelt, bügele die Hose!
die **Bulldogge;** die Bulldoggen

der Bulle

der **Bulle;** des Bullen, die Bullen
bummeln; du bummelst, er bummelt, er bummelte, er hat gebummelt; aber: er ist durch die Stadt gebummelt; bummele nicht!
bunt; am buntesten; ein bunter Schmetterling
der **Buntstift;** die Buntstifte **(2)**
die **Burg;** die Burgen
der **Bürger;** die Bürger
der **Bürgermeister;** die Bürgermeister
der **Bürgersteig;** die Bürgersteige **(6)**
Burkhard
das **Büro;** die Büros
der **Bursche;** des Burschen, die Burschen
die **Bürste;** die Bürsten
bürsten; du bürstest, er bürstet, er bürstete, er hat die Schuhe gebürstet, bürste die Schuhe!
der **Bus;** des Busses, die Busse **(24)**
der **Busch;** die Büsche
der **Bussard;** die Bussarde

der Bussard

büßen; du büßt, er büßt, er büßte, er hat seinen Leichtsinn gebüßt, büße!
die **Butter (19)**
das **Butterbrot;** die Butterbrote

C

der **Campingplatz;** die Campingplätze **(26)**
Charlotte
China
der **Chinese**
der **Chor;** des Chors, die Chöre
der **Christ;** des Christen, die Christen
Christa
der **Christbaum;** die Christbäume **(25)**
Christian
Christine
das **Christkind (25)**
christlich
Christus
der **Clown;** des Clowns, die Clowns

der Clown

die **Couch;** die Couches **(3)**
der **Cowboy;** des Cowboys, die Cowboys (Bild S. 80)
die **Creme;** auch: die Krem; die Crems

D

da; da und dort
dabei; Karl war dabei
das **Dach**; die Dächer **(15)**
der **Dachdecker**; die Dachdecker
der **Dachs**; die Dachse

dachte siehe denken
der **Dackel**; die Dackel **(23)**

dadurch; dadurch wirst du wieder gesund
dafür; er hat sich dafür bedankt
dagegen; er hat nichts dagegen
Dagmar
daheim; er ist heute mittag daheim
daher; er kommt gerade daher
dahin; bis dahin vergeht noch viel Zeit
dahinten, dahinter; ein Haus mit einem Garten dahinter
damals; damals ging es ihm noch besser
die **Dame**; die Damen
damit; er ist damit einverstanden
dämlich (dumm, albern); der ist viel zu dämlich dazu
der **Damm**; die Dämme
der **Dampf**; die Dämpfe
dampfen; die Lokomotive dampft, die Lokomotive dampfte, die Lokomotive hat gedampft
der **Dampfer**; die Dampfer **(27)**
die **Dampfwalze**; die Dampfwalzen
danach; danach wurde alles besser
daneben; daneben lag ein Buch
Dänemark
der **Dank**; vielen Dank!
dankbar; ein dankbares Kind
danken; du dankst, er dankt, er dankte, er hat ihm gedankt, danke ihm!; danke schön!
dann; dann und wann
daran; denke bitte daran
darauf; darauf kannst du dich verlassen
daraus; was daraus wird, weiß niemand
darf siehe dürfen
darin; was hat er in der Schachtel? Er hat Maikäfer darin
darüber; darüber hat er sich gefreut
darum; darum war er böse
darunter; er stellte sich darunter
das; das Kind
daß; ich glaube, daß er kommt
dasselbe; das ist genau dasselbe
die **Dattel**; die Datteln
das **Datum**; die Daten
dauern; es dauert nicht lange, es dauerte nur zehn Minuten, die Versammlung hat zwei Stunden gedauert

dauernd; er schwätzt dauernd
der **Daumen**; die Daumen
der **Daumenlutscher**; die Daumenlutscher
davon; davon hat er genug
davonlaufen; er läuft davon, er ist davongelaufen
davor; davor hat er Angst
dazu; dazu lasse ich mich nicht überreden
dazwischen; dazwischen gab es Musik
die **Decke** (1. Schlafdecke; 2. Zimmerdecke)

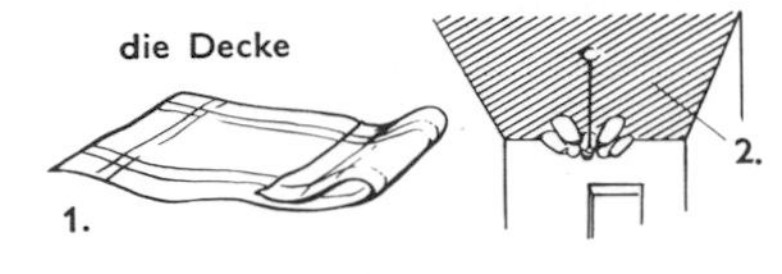

die Decke

der **Deckel**; die Deckel
die **Deichsel**; die Deichseln

die Deichsel

dein; in Briefen: Dein
dem; dem Vater
den; den Vater
denken; du denkst, er denkt, er dachte, er hat daran gedacht, denke daran!
das **Denkmal**; die Denkmäler
denn; was hast du denn?
dennoch; er war krank, dennoch wollte er in die Ferien fahren
der; der Vater
des; des Vaters
deshalb; deshalb war er böse
desto; desto besser
deswegen; deswegen hat er sich geärgert
deutlich; er sagte es ganz deutlich
deutsch; das deutsche Volk
der **Deutsche** und die **Deutsche**; die Deutschen
Deutschland
der **Dezember**; des Dezember und des Dezembers
dich; in Briefen: Dich
dicht; ein dichter Nebel
dick; durch dick und dünn
die; die Mutter
der **Dieb**; die Diebe
der **Diebstahl**; die Diebstähle

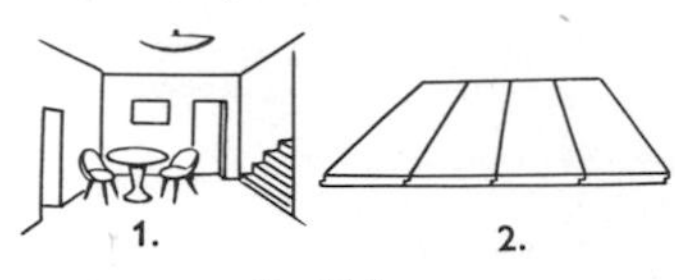

die Diele

die **Diele** (1. Flurzimmer; 2. Fußbodenbrett)
der **Diener**; die Diener
der **Dienstag**; die Dienstage; **dienstags**; dienstags sind wir zu Hause
dieser; diese, dieses (dies); dieser Mann
diesmal; diesmal hatte er sich geirrt
Dieter und **Diether**
Dietrich
das **Ding**; die Dinge
dir; in Briefen: Dir
das **Dirndl**; die Dirndl
die **Distel**; die Disteln

die Distel

der **Distelfink;** die Distelfinken
doch; nicht doch!
die **Dogge;** die Doggen

die Dohle

die **Dohle;** die Dohlen
der **Doktor;** die Doktoren
der **Dolch**; die Dolche
doll; das ist doll!
der **Dom;** die Dome
die **Donau**
der **Donner;** die Donner
donnern; es donnert, es donnerte, es hat gedonnert
Donnerstag; die Donnerstage; **donnerstags;** donnerstags gehen wir ins Theater
doof; ein doofer Kerl
doppelt; der Stoff liegt doppelt
Dora
das **Dorf;** die Dörfer **(18)**
der **Dorn;** die Dornen und die Dorne
Dorothea
dort; dort hinten
dorthin; dorthin will ich gehen
die **Dose;** die Dosen
der **Dotter;** auch: das **Dotter;** die Dotter
der **Drache;** des Drachen, die Drachen (Ungeheuer der Sage)
der **Drachen;** des Drachens, die Drachen (Fluggerät)

der Drache

der Drachen

der **Draht;** die Drähte **(18)**
dran; drauf und dran
drang siehe dringen
drängen; du drängst, er drängt, er drängte, er hat gedrängt, dränge nicht so!
draußen; draußen vor der Tür
der **Dreck**
dreckig; dreckige Hände
drehen; du drehst, er dreht, er drehte, er hat das Rad gedreht, drehe das Rad!; sich drehen; sie dreht sich im Kreis herum
drei; er kann nicht bis drei zählen
das **Dreieck;** die Dreiecke **(9)**
dreihundert
dreijährig; ein dreijähriges Kind
dreimal; er hat dreimal geklingelt; aber: drei mal zwei (in Ziffern: 3 mal 2) ist sechs (6)
das **Dreirad;** die Dreiräder
dreißig
dreitausend
dreschen; du drischst, er drischt, er drosch, er hat das Korn gedroschen, drisch das Korn!
der **Dreschflegel;** die Dreschflegel
die **Dreschmaschine;** die Dreschmaschinen
drin siehe darin
dringen; das Wasser dringt in den Keller, das Wasser drang in den Keller, das Wasser ist in den Keller gedrungen
dringend; er braucht dringend eine neue Hose
drinnen; bei diesem schlechten Wetter bleibt man besser drinnen
drisch siehe dreschen
der **dritte; drittens**
droben; droben auf dem Berg
die **Drogerie;** die Drogerien **(15)**
drohen; du drohst mir, er droht mir, er drohte mir, er hat mir gedroht, drohe nicht!
drollig; ein drolliges Kind
drosch siehe dreschen
die **Drossel;** die Drosseln
drüben; drüben am anderen Ufer
drüber siehe darüber
drucken; du druckst, er druckt, er druckte, er hat das Buch gedruckt, drucke dieses Buch!
drücken; du drückst, er drückt,

er drückte, er hat gegen die Tür gedrückt, drücke!
drum siehe darum
drunten; drunten im Keller
drunter; drunter und drüber
du; in Briefen: Du
sich **ducken;** du duckst dich, er duckt sich, er duckte sich, er hat sich geduckt, ducke dich!
der **Duckmäuser;** die Duckmäuser
der **Duft;** die Düfte
duften; die Blume duftet, duftete, hat geduftet
dulden; du duldest, er duldet, er duldete, er hat das geduldet, dulde das nicht!
dumm; dümmer, am dümmsten; ein dummes Kind
die **Dummheit;** die Dummheiten
der **Dummkopf;** die Dummköpfe
die **Düne;** die Dünen **(26)**
düngen; du düngst, er düngt, er düngte, er hat den Boden gedüngt, dünge den Boden!
der **Dünger**
dunkel; eine dunkle Nacht
dunkelblau; ein dunkelblaues Kleid
dünn; durch dick und dünn
durch; er ging durch das Tor
durcheinander; er warf alles durcheinander
die **Durchfahrt;** die Durchfahrten
durchsichtig; ein durchsichtiges Kleid

die Drossel

dürfen; du darfst, er darf, er durfte, er hat gedurft
der **Durst**
durstig; ich bin sehr durstig
die **Dusche;** die Duschen
das **Dutzend** (12 Stück); ein Dutzend Eier
der **D-Zug;** die D-Züge

E

die **Ebbe**
eben; das habe ich eben erst gesagt
die **Ebene;** die Ebenen
ebenso, ebensogut; er kann das ebensogut wie ich
der **Eber;** die Eber
Eberhard
das **Echo;** des Echos, die Echos
echt; echte Perlen
Eckart
die **Ecke;** die Ecken
eckig; ein eckiger Tisch
Eduard
der **Efeu**

der Efeu

egal; das ist mir ganz egal
die **Egge;** die Eggen (Bild S. 84)
ehe; eher, am ehesten
die **Ehe;** die Ehen
die **Ehre**

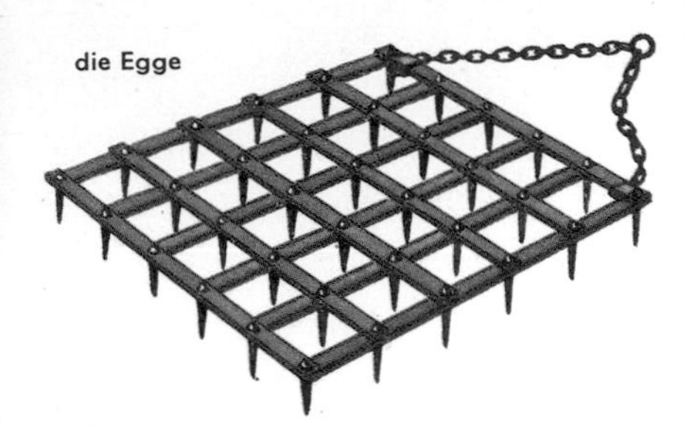

die Egge

ehrlich; ein ehrlicher Finder

das **Ei;** die Eier **(19)**

die **Eiche;** die Eichen

die Eichel

die **Eichel;** die Eicheln

das **Eichhörnchen;** die Eichhörnchen

das Eichhörnchen

die **Eidechse;** die Eidechsen **(23)**

der **Eidotter** und das **Eidotter;** die Eidotter

der **Eierbecher;** die Eierbecher **(1)**

die **Eifel**

eifersüchtig; er ist sehr eifersüchtig

eifrig; ein eifriger Tennisspieler

das **Eigelb;** die Eigelbe

eigentlich; er hat eigentlich recht

das **Eigentum**

eilen; du eilst, er eilt, er eilte, ich habe mich geeilt, eile dich!

eilig; er hat es immer sehr eilig

der **Eilzug;** die Eilzüge

der **Eimer;** die Eimer **(11)**

ein; ein Mann

sich **einbilden;** er bildet sich viel ein, er hat sich viel eingebildet

der **Einbrecher;** die Einbrecher

einer; eine, eines; einer von uns

einfach; das ist nicht ganz einfach

die **Einfahrt;** die Einfahrten

einfallen; etwas fällt mir ein, etwas ist mir eingefallen

der **Eingang;** die Eingänge

eingießen; die Mutter gießt Kaffee ein, die Mutter hat Kaffee eingegossen

einhundert

einig; einig werden; sie sind sich einig

einige; einige Kinder

einjährig; ein einjähriges Kind

einkaufen; er kaufte ein, er hat eingekauft

einladen; er lädt mich ein, er hat mich zu seinem Geburtstag eingeladen

die **Einladung;** die Einladungen

einmal; einmal und nicht wieder

einpacken; er packte seine Kleider ein, er hat seine Kleider eingepackt

eins; es schlägt eins; es ist halb eins

einsam; er ist sehr einsam

einschenken; er schenkte den Kaffee ein, er hat den Kaffee eingeschenkt

einschlafen; er schläft ein, er ist eingeschlafen

einsperren; er sperrt ihn ein, er hat ihn eingesperrt
einst; du wirst es einst bereuen
einstimmig; er wurde einstimmig gewählt
einstürzen; das Haus stürzt ein, das Haus ist eingestürzt
eintausend
eintreten; er tritt ein, er ist in das Zimmer eingetreten
einverstanden!
einwickeln; der Metzger wickelt das Fleisch ein, er hat das Fleisch eingewickelt
der **Einwohner;** die Einwohner
einzeln; der einzelne; er legte die einzelnen Teile zur Seite
einziehen; er zieht die Leine ein, er hat die Leine eingezogen
einzig; es war sein einziges Kind; kein einziger
das **Eis** (1. Eisbahn; 2. Speiseeis)

der **Eisbär;** des Eisbären, die Eisbären **(22)**
das **Eisen**
die **Eisenbahn;** die Eisenbahnen

die Eisenbahn

der **Eisenbahnwagen;** die Eisenbahnwagen **(14)**
eisig; es ist eisig kalt
eiskalt; es ist hier eiskalt
der **Eiszapfen;** die Eiszapfen
der **Eiter**
eitern; der Finger eitert, der Finger eiterte, der Finger hat geeitert
das **Eiweiß**
eklig; sei doch nicht so eklig!
die **Elbe**
der **Elefant;** des Elefanten, die Elefanten **(22)**
elektrisch; eine elektrische Eisenbahn
elf; der elfte Mai
elfjährig; ein elfjähriger Junge
Elfriede
Elisabeth
der **Ellbogen** und der **Ellenbogen;** die Ellbogen und die Ellenbogen
die **E-Lok;** die E-Loks **(14)**
Else
die **Elster;** die Elstern

die Elster

die **Eltern**
empfindlich; sei doch nicht so empfindlich!
das **Ende;** die Enden; er ist am Ende
endgültig; nun ist endgültig Schluß!
endlich; endlich hat er es eingesehen
eng; ein enger Flur
der **Engel;** die Engel **(25)**
England, englisch
der **Enkel**, die Enkel
die **Enkelin;** die Enkelinnen
das **Enkelkind;** die Enkelkinder
entdecken; du entdeckst, er entdeckt, er entdeckte, er hat den Diebstahl entdeckt
die **Ente;** die Enten **(16)**

sich **entfernen;** du entfernst dich, er entfernt sich, er entfernte sich, er hat sich heimlich entfernt

entlang; er ging am Ufer entlang

entschuldigen; du entschuldigst, er entschuldigt, er entschuldigte, er hat seinen Sohn entschuldigt; sich entschuldigen; er hat sich bei seinem Vater entschuldigt

die **Entschuldigung;** die Entschuldigungen

entsetzlich; er hatte sich entsetzlich gefürchtet

die **Enttäuschung;** die Enttäuschungen

entweder; entweder — oder; entweder er oder ich

entzwei; der Teller ist entzwei

er; er kommt

erbärmlich; das Kind hat erbärmlich geweint

erben; du erbst, er erbt, er erbte, er hat ein Vermögen geerbt

die **Erbse;** die Erbsen

die Erbse

die **Erdbeere;** die Erdbeeren **(20)**

die **Erde (13)**

erfinden; du erfindest, er erfindet, er erfand, er hat eine neue Maschine erfunden

der **Erfinder;** die Erfinder

erfrieren; du erfrierst, er erfror, er ist erfroren, aber: er hat sich die Füße erfroren

erfunden siehe erfinden

ergreifen; du ergreifst, er ergreift, er ergriff, er hat den Stock ergriffen

erhalten; du erhälst, er erhält, er erhielt, er hat einen Brief erhalten

Erhard

erhielt siehe erhalten

sich **erholen;** du erholst dich, er erholt sich, er erholte sich, er hat sich gut erholt

die **Erholung**

erinnern; du erinnerst ihn, er erinnert ihn, er erinnerte ihn, er hat ihn an sein Versprechen erinnert, erinnere ihn daran!

sich **erkälten;** du erkältest dich, er erkältet sich, er erkältete sich, er hat sich erkältet, erkälte dich nicht!

erkennen; du erkennst ihn, er erkennt ihn, er erkannte ihn, er hat ihn erkannt

erklären; du erklärst, er erklärt, er erklärte, er hat diesen Vorgang gut erklärt, erkläre es ihm!

erlauben; du erlaubst, er erlaubt, er erlaubte, er hat es erlaubt, erlaube es!

erleben; du erlebst, er erlebt, er erlebte, er hat viel erlebt

erledigen; du erledigst, er erledigt, er erledigte, er hat die Arbeit erledigt, erledige sie bitte!

ermahnen; du ermahnst ihn, er ermahnt ihn, er ermahnte ihn, er hat ihn ermahnt, ermahne ihn!

Erna

ernähren; du ernährst ihn, er ernährt ihn, er ernährte ihn, er hat ihn ernährt, ernähre ihn!

ernst; ernster, am ernstesten; er machte ein ernstes Gesicht

Ernst

die **Ernte**

ernten; du erntest, er erntet, er erntete, er hat das Obst geerntet

erobern; du eroberst, er erobert, er eroberte, er hat die Stadt erobert

erschöpft; erschöpft fiel er ins Bett
erschrecken; du erschrickst, er erschrickt, er erschrak, er ist erschrocken, erschrick nicht!
erst; erst recht
der **erste;** der erste beste
das **erstemal;** das erstemal will ich dir verzeihen
erstens; erstens habe ich kein Geld und zweitens keine Zeit
ersticken; du erstickst, er erstickt, er erstickte, er ist erstickt
ertappen; du ertappst ihn, er ertappt ihn, er ertappte ihn, er hat ihn ertappt
ertrinken; du ertrinkst, er ertrinkt, er ertrank, er ist ertrunken
erwachen; du erwachst, er erwacht, er erwachte, er ist erwacht, erwache!
erwachsen; er ist erwachsen
erwischen; du erwischst ihn, er erwischt ihn, er erwischte ihn, er hat ihn erwischt, erwische ihn doch!
erzählen; du erzählst, er erzählt, er erzählte, er hat eine Geschichte erzählt, erzähle mir etwas!
die **Erzählung;** die Erzählungen
es; es blitzt
die **Esche;** die Eschen
der **Esel;** die Esel **(25)**

der Esel

das **Eselsohr** (1. das Ohr des Esels; 2. Kniff in Buch- oder Heftseite)

das Eselsohr

essen; du ißt, er ißt, er aß, er hat gut gegessen, iß deinen Apfel!; zu Mittag essen
das **Essen**
der **Essig**
der **Eßlöffel;** die Eßlöffel
das **Etui;** die Etuis **(9)**
etwa; das dauert etwa 8 Tage
etwas; etwas Gutes
euer; in Briefen: Euer
die **Eule;** die Eulen

die Eule

Eulenspiegel (ein Schelm, Narr)
Europa
das **Euter;** die Euter **(17)**
Eva
evangelisch; er ist evangelisch
Ewald
ewig; das dauert ewig
extra; das hat er extra getan

F

die **Fabrik;** die Fabriken
das **Fach;** die Fächer
das **Fachwerkhaus;** die Fachwerkhäuser **(15)**
der **Faden;** die Fäden
die **Fahne;** die Fahnen **(8)**
die **Fahrbahn;** die Fahrbahnen
die **Fähre;** die Fähren
fahren; du fährst, er fährt, er fuhr, er hat diesen Wagen gefahren, aber: er ist über den Bürgersteig gefahren; fahre nicht so schnell!
der **Fahrer;** die Fahrer
der **Fahrgast;** die Fahrgäste **(14)**
die **Fahrkarte;** die Fahrkarten
das **Fahrrad;** die Fahrräder **(6)**
fährt siehe fahren
das **Fahrwerk;** die Fahrwerke **(28)**
das **Fahrzeug;** die Fahrzeuge
der **Falke;** die Falken

der Falke

fallen; du fällst, er fällt, er fiel, er ist in den Graben gefallen, falle nicht!
falsch; falscher, am falschesten; falsches Geld
die **Falte;** die Falten
falten; du faltest, er faltet, er faltete, er hat das Blatt gefaltet, falte den Brief!
die **Familie;** die Familien
fand siehe finden
fangen; du fängst, er fängt, er fing, er hat den Ball gefangen, fange den Ball!
die **Farbe;** die Farben
färben; du färbst, er färbt, er färbte, er hat den Stoff gefärbt, färbe den Stoff!
farbig; farbige Tapeten
das **Farnkraut;** die Farnkräuter
der **Fasan;** die Fasane **(18)**
der **Fasching**
das **Faß;** des Fasses, die Fässer
fassen; du faßt, er faßt, er faßte, er hat den Dieb gefaßt, fasse ihn!
fast; die Tasse ist fast voll
die **Fastnacht**
fauchen; die Katze faucht, fauchte, hat gefaucht
faul; ein fauler Schüler
faulen; die Kartoffeln im Keller faulen
faulenzen; du faulenzt, er faulenzt, er faulenzte, er hat gefaulenzt, faulenze nicht!
der **Faulenzer;** die Faulenzer
die **Faulheit**
die **Faust;** die Fäuste
der **Faustball;** die Faustbälle
die **Faxe;** Faxen machen
der **Februar;** des Februar und des Februars
fechten; du fichst, er ficht, er focht, er hat gefochten
die **Feder;** die Federn (1. Vogelfeder; 2. Schreibfeder; 3. Metallfeder)

die Feder

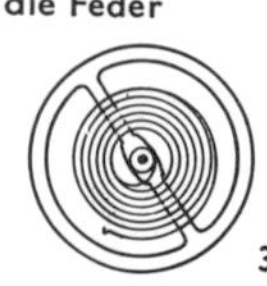

der **Federball;** die Federbälle; Federball spielen **(11)**
der **Federhalter;** die Federhalter
fegen; du fegst, er fegt, er fegte, er hat die Straße gefegt, fege die Straße!
fehlen; du fehlst, er fehlt, er fehlte, er hat in der Schule gefehlt, fehle nicht so oft!

der **Fehler;** die Fehler
die **Feier;** die Feiern
feierlich; die Trauung war sehr feierlich
feiern; du feierst, er feiert, er feierte, er hat seinen Geburtstag gefeiert, feiere nicht so oft!
der **Feiertag;** die Feiertage
feig und **feige;** er ist ein feiger Junge
die **Feige;** die Feigen
die **Feile;** die Feilen
feilen; du feilst, er feilt, er feilte, er hat gefeilt, feile noch etwas!
fein; fein gemahlener Kaffee
der **Feind;** die Feinde
das **Feld;** die Felder **(16)**
die **Feldmaus;** die Feldmäuse **(18)**
der **Feldweg;** die Feldwege **(18)**
das **Fell;** die Felle; ein dickes Fell haben
der **Felsen;** die Felsen
felsig; eine felsige Küste
das **Fenster;** die Fenster **(2)**
die **Fensterscheibe;** die Fensterscheiben
Ferdinand
die **Ferien**
das **Ferkel;** die Ferkel **(17)**
fern; von nah und fern
der **Fernsehapparat;** die Fernsehapparate
das **Fernsehen**
der **Fernseher;** die Fernseher **(3)**
das **Fernsprechbuch** (das Telefonbuch); die Fernsprechbücher **(7)**
die **Ferse;** die Fersen
fertig; du mußt erst fertig essen
die **Fessel;** die Fesseln
fesseln; du fesselst ihn, er fesselt ihn, er fesselte ihn, er hat ihn an Händen und Füßen gefesselt, fessele und feßle ihn!
fest; am festesten; feste Schuhe
das **Fest;** die Feste
festbinden; er bindet die Kuh fest, er hat die Kuh festgebunden
festhalten; er hält ihn fest, er hat ihn festgehalten
der **Festtag;** die Festtage
fett; am fettesten; fette Milch
das **Fett;** die Fette
fettig; fettige Haare
der **Fetzen;** die Fetzen
feucht; am feuchtesten; feuchte Wäsche
das **Feuer;** die Feuer **(8)**
die **Feuerwehr;** die Feuerwehren
das **Feuerzeug;** die Feuerzeuge **(3)**
die **Fibel;** die Fibeln
die **Fichte;** die Fichten

die Fichte

das **Fieber**
die **Fiedel** (Geige); die Fiedeln
fiel siehe fallen
die **Figur;** die Figuren
der **Film;** die Filme
filmen; du filmst, er filmt, er filmte, er hat das Ereignis gefilmt, filme diesen Vorgang!
finden; du findest, er findet, er fand, er hat die Brieftasche gefunden
fing siehe fangen
der **Finger;** die Finger

der Fingerhut

1.

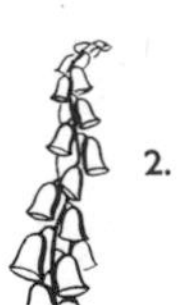
2.

der **Fingerhut;** die Fingerhüte (1. Fingerschutz beim Nähen; 2. Blume)

der **Fink;** des Finken, die Finken
Finnland
finster; eine finstere Nacht
der **Fisch;** die Fische **(26)**
fix; fix und fertig
flach; flache Absätze
flackern; das Licht flackert, das Licht flackerte, das Licht hat geflackert
die **Flamme;** die Flammen
die **Flasche;** die Flaschen **(1)**
flattern; der Vogel flattert, der Vogel flatterte, der Vogel hat ängstlich geflattert, a b e r: der Vogel ist auf das Dach geflattert
flechten; du flichst, er flicht, er flocht, er hat einen Kranz geflochten, flicht mir die Zöpfe!
der **Fleck;** die Flecke und der **Flecken;** die Flecken
fleckig; er hat ein fleckiges Gesicht
die **Fledermaus;** die Fledermäuse

die Fledermaus

der **Flegel;** die Flegel
flehen; du flehst, er fleht, er flehte, er hat um Gnade gefleht, flehe nicht um Gnade!
das **Fleisch**
der **Fleischer;** die Fleischer
der **Fleiß**
fleißig; ein fleißiger Schüler
flicht siehe flechten
flicken; du flickst, er flickt, er flickte, er hat den Reifen geflickt, flicke den Reifen!
der **Flieder (20)**
die **Fliege;** die Fliegen (1. ein Insekt; 2. Krawatte)
fliegen; du fliegst, er fliegt, er flog, er ist nach Amerika geflogen, fliege doch!

1. 
die Fliege
 2.

fliehen; du fliehst, er flieht, er floh, er ist geflohen
die **Fliese;** die Fliesen **(5)**
fließen; der Bach fließt, floß, ist geflossen
flink; ein flinker Bursche
flitzen; du flitzt, er flitzt, er flitzte, er ist um die Ecke geflitzt
flocht siehe flechten
flog siehe fliegen
der **Floh;** die Flöhe

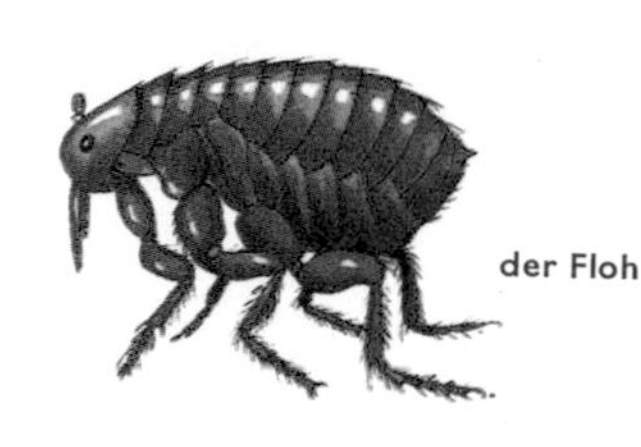
der Floh

das **Floß;** die Flöße
die **Flosse;** die Flossen
die **Flöte;** die Flöten
flöten; du flötest, er flötet, er flötete, er hat geflötet, flöte!
fluchen; du fluchst, er flucht, er fluchte, er hat geflucht, fluche nicht!
flüchten; du flüchtest, er flüchtet, er flüchtete, er ist geflüchtet
der **Flug;** die Flüge
der **Flügel;** die Flügel (1. Vogelflügel;

 1.
 2.
der Flügel
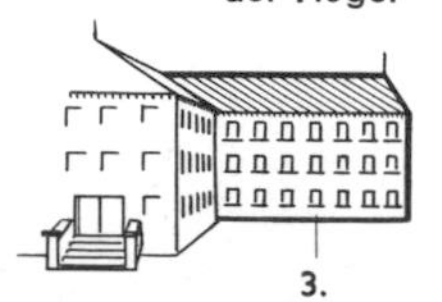 3.
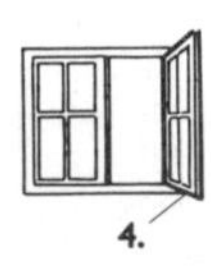 4.

2. Klavier; 3. Teil eines Gebäudes; 4. Fensterflügel)
der **Flughafen;** die Flughäfen **(28)**
das **Flugzeug;** die Flugzeuge **(28)**
der **Flur;** die Flure (Hausflur)
der **Fluß;** des Flusses, die Flüsse
flüssig; flüssige Butter
die **Flüssigkeit;** die Flüssigkeiten
flüstern; du flüsterst, er flüstert, er flüsterte, er hat geflüstert, flüstere nicht!
die **Flut;** die Fluten
focht siehe fechten
das **Fohlen;** die Fohlen

das Fohlen

folgen; du folgst mir, er folgt mir, er folgte mir, er ist mir gefolgt (nachgekommen), a b e r: er hat mir gefolgt (Gehorsam geleistet); folge mir!
folgsam; ein folgsames Kind
foltern; du folterst ihn, er foltert ihn, er folterte ihn, er hat ihn gefoltert, foltere ihn nicht!
foppen; du foppst ihn, er foppt ihn, er foppte ihn, er hat ihn gefoppt, foppe ihn nicht!
fordern; du forderst, er fordert, er forderte, er hat Geld von mir gefordert, fordere nichts!

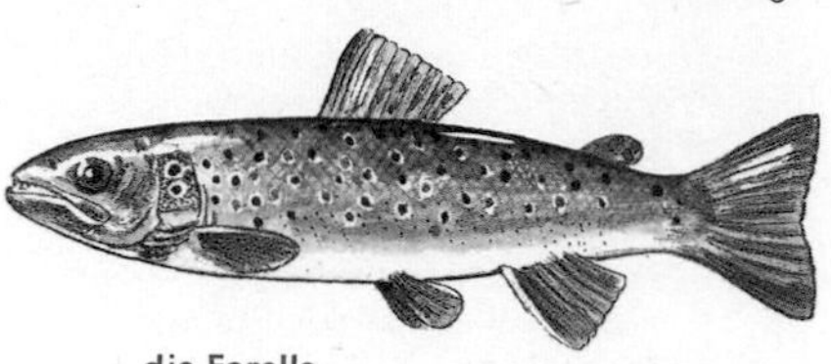

die Forelle

die **Forelle;** die Forellen
die **Form;** die Formen
das **Förmchen;** die Förmchen **(11)**
das **Formular;** die Formulare **(7)**
der **Förster;** die Förster
fort; fort mit dir!
fortfahren; er fährt fort, er ist fortgefahren
fortgehen; er geht fort, er ist fortgegangen
die **Fortsetzung;** die Fortsetzungen
der **Fotograf;** des Fotografen, die Fotografen
die **Fotografie;** die Fotografien
fotografieren; du fotografierst, er fotografiert, er fotografierte, er hat ihn fotografiert, fotografiere ihn!
die **Frage;** die Fragen
fragen; du fragst, er fragt, er fragte, er hat ihn gefragt, frage ihn!
das **Fragezeichen;** die Fragezeichen
Frankreich
Franz
fraß siehe fressen
die **Fratze;** die Fratzen; Fratzen schneiden
die **Frau;** die Frauen
das **Fräulein;** die Fräulein
frech; er ist frech
der **Frechdachs;** die Frechdachse
die **Frechheit;** die Frechheiten; so eine Frechheit!
frei; ein freier Mann
freihalten; er hält den Platz frei; er hat den Platz freigehalten
freihändig; er fuhr freihändig auf seinem Rad
die **Freiheit;** die Freiheiten
freilassen; er läßt den Gefangenen frei, er hat den Gefangenen freigelassen
der **Freitag; freitags;** freitags gehen wir schwimmen

freiwillig; das tue ich freiwillig
fremd; ein fremder Mann
fressen; die Kuh frißt, die Kuh fraß, die Kuh hat gefressen, friß endlich!
die **Freude;** die Freuden
freudig; ein freudiges Ereignis
sich **freuen;** du freust dich, er freut sich, er freute sich, er hat sich gefreut, freue dich!
der **Freund;** die Freunde
die **Freundin;** die Freundinnen
freundlich; mache bitte ein freundliches Gesicht
die **Freundschaft;** die Freundschaften
der **Friede** und der **Frieden**
Friederike
der **Friedhof;** die Friedhöfe
friedlich; ein friedlicher Mensch
Friedrich
frieren; du frierst, er friert, er fror, er hat sehr gefroren
frisch; frische Eier
der **Friseur** und der **Frisör;** die Friseure und die Frisöre
frisieren; du frisierst, er frisiert, er frisierte, er hat ihn frisiert, frisiere ihn!
friß! siehe fressen
die **Frisur;** die Frisuren
froh; er ist sehr froh
fröhlich; ein fröhliches Kind
fromm; frommer und frömmer, am frommsten und am frömmsten
fror siehe frieren
der **Frosch;** die Frösche **(23)**
die **Frucht;** die Früchte
früh; morgen früh
das **Frühjahr**
der **Frühling**
das **Frühstück**
der **Fuchs;** die Füchse

der Fuchs

fühlen; du fühlst, er fühlt, er fühlte, er hat seine Hand gefühlt, fühle meinen Puls!
fuhr siehe fahren
führen; du führst ihn, er führt ihn, er führte ihn, er hat seinen kleinen Bruder an der Hand geführt, führe ihn!
das **Fuhrwerk;** die Fuhrwerke
füllen; du füllst, er füllt, er füllte, er hat den Eimer gefüllt, fülle den Eimer!
der **Füllfederhalter;** die Füllfederhalter **(3)**
fünf; der fünfte Mai
fünfjährig; ein fünfjähriger Junge
fünfmal; er hat fünfmal gewürfelt; aber: fünf mal zwei (in Ziffern: 5 mal 2) ist zehn (10)
fünftausend
fünftens
fünfzehn
fünfzig
der **Funke;** die Funken und der **Funken;** die Funken
funkeln; der Edelstein funkelt, der Edelstein funkelte, der Edelstein hat gefunkelt
für; das tat ich alles für dich
die **Furche;** die Furchen
die **Furcht**
sich **fürchten;** du fürchtest dich, er fürchtet sich, er fürchtete sich, er hat sich gefürchtet, fürchte dich nicht!
der **Fuß;** die Füße **(10)**
der **Fußball;** die Fußbälle
der **Fußballschuh;** die Fußballschuhe **(10)**
der **Fußboden;** die Fußböden **(2)**
der **Fußgänger;** die Fußgänger **(6)**
das **Futter (16)**
füttern; du fütterst, er füttert, er fütterte, er hat die Hühner gefüttert, füttere die Hühner!

G

die **Gabel**; die Gabeln
Gabriele
gackern; das Huhn gackert, das Huhn gackerte, das Huhn hat gegackert
gähnen; du gähnst, er gähnt, er gähnte, er hat gegähnt, gähne nicht!
galoppieren; das Pferd galoppiert, das Pferd galoppierte, das Pferd ist und hat galoppiert
galt siehe gelten
der **Gang**; die Gänge
die **Gans**; die Gänse **(16)**
das **Gänseblümchen**; die Gänseblümchen
ganz; ganz und gar
gar; das Fleisch ist gar
gar; gar nicht
die **Garage**; die Garagen
die **Garbe**; die Garben

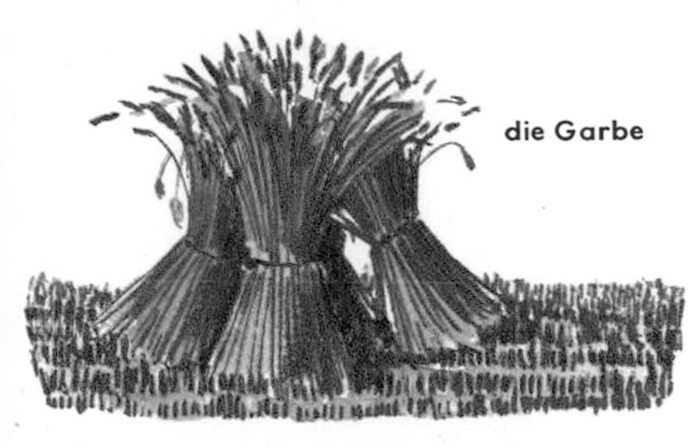
die Garbe

die **Gardine**; die Gardinen **(3)**
das **Garn**; die Garne **(3)**
garstig; ein garstiges Kind
der **Garten**; die Gärten **(4)**
das **Gartenhäuschen**; die Gartenhäuschen **(4)**
der **Gartenstuhl**; die Gartenstühle **(4)**
der **Gärtner**; die Gärtner
die **Gärtnerei**; die Gärtnereien
das **Gas**; Gas geben
die **Gasse**; die Gassen
der **Gast**; die Gäste
das **Gasthaus**; die Gasthäuser
der **Gastwirt**; die Gastwirte
die **Gastwirtschaft**; die Gastwirtschaften
der **Gaul**; die Gäule
der **Gauner**; die Gauner
das **Gebäck (25)**
das **Gebäude**; die Gebäude
geben; du gibst, er gibt, er gab, er hat ihm einen Apfel gegeben, gib ihm auch einen Apfel!
das **Gebet**; die Gebete
gebeten siehe bitten
gebetet siehe beten
das **Gebiet**; die Gebiete
das **Gebirge**; die Gebirge
das **Gebiß**; des Gebisses, die Gebisse
gebissen siehe beißen
gebogen siehe biegen
geboren; er ist in Mannheim geboren
geboten siehe bieten
gebracht siehe bringen
gebrannt siehe brennen
gebrauchen; du gebrauchst, er gebraucht, er gebrauchte, er hat den Hammer gebraucht, gebrauche den Hammer richtig!
gebrochen siehe brechen
gebunden siehe binden
der **Geburtstag**; die Geburtstage
das **Gebüsch**
gedacht siehe denken
das **Gedächtnis**; des Gedächtnisses
der **Gedanke**; die Gedanken
das **Gedicht**; die Gedichte
gedroschen siehe dreschen
gedrungen siehe dringen
die **Geduld**
geduldig; ein geduldiger Mann
die **Gefahr**; die Gefahren
gefährlich; eine gefährliche Krankheit
gefallen; die Geschichte gefällt mir, die Geschichte gefiel mir, die Geschichte hat mir gefallen; er läßt sich nichts gefallen
der **Gefangene**; die Gefangenen
das **Gefängnis**; des Gefängnisses, die Gefängnisse
das **Gefäß**; die Gefäße
gefiel siehe gefallen
geflochten siehe flechten
geflohen siehe fliehen

geflossen siehe fließen
das **Geflügel**
gefochten siehe fechten
gefroren siehe frieren
das **Gefühl;** die Gefühle
gefunden siehe finden
gegangen siehe gehen
gegen; er ist gegen die Mauer gefahren
die **Gegend**
gegeneinander; sie kämpften gegeneinander
der **Gegenstand;** die Gegenstände
gegenüber; er wohnt gegenüber
die **Gegenwart**
gegessen siehe essen
geglitten siehe gleiten
gegolten siehe gelten
gegossen siehe gießen
gegriffen siehe greifen
das **Gehege;** die Gehege **(22)**
geheim; eine geheime Nachricht
gehen; du gehst, er geht, er ging, er ist nach Hause gegangen, gehe nach Hause!
gehoben siehe heben
gehorchen; du gehorchst, er gehorcht, er gehorchte, er hat seinem Vater gehorcht, gehorche ihm!
gehören; der Ball gehört mir, der Ball gehörte mir, der Ball hat mir gehört
gehorsam; ein gehorsamer Junge
die **Geige;** die Geigen
die **Geiß** (die Ziege); die Geißen
der **Geist;** die Geister
der **Geiz**
der **Geizhals;** die Geizhälse
geizig; ein geiziger Mensch
gekannt siehe kennen
geklungen siehe klingen
gekniffen siehe kneifen
gekonnt siehe können
gekrochen siehe kriechen
das **Geländer;** die Geländer **(28)**
gelb; ein gelbes Kleid; gelbe Rüben **(20)**
gelblich; gelbliches Licht
das **Geld;** die Gelder
der **Geldbeutel;** die Geldbeutel
gelegen siehe liegen
die **Gelegenheit;** die Gelegenheiten

gelegt siehe legen
geliehen siehe leihen
gelingen; die Arbeit gelingt mir, die Arbeit ist mir gelungen
gelogen siehe lügen
gelten; die Fahrkarte gilt noch, die Fahrkarte galt noch, die Fahrkarte hat noch gegolten
gemein; ein gemeiner Mensch
die **Gemeinde;** die Gemeinden
die **Gemeinheit;** die Gemeinheiten
gemeinsam; das wollen wir gemeinsam machen
gemocht siehe mögen
gemolken siehe melken
das **Gemüse (19)**
gemußt siehe müssen
gemütlich; ein gemütlicher Abend
genannt siehe nennen
genau; er nimmt es genau
sich **genieren** (sich schämen); du genierst dich, er geniert sich, er genierte sich, er hat sich geniert, geniere dich nicht!
genommen siehe nehmen
genug; er hat davon genug
Georg
das **Gepäck**
gerade; er ist gerade gekommen
geradeaus; geradeaus fahren
geradeheraus; er sagte es geradeheraus
gerannt siehe rennen
geraten; du gerätst, er gerät, er geriet, er ist in Not geraten
geraten siehe raten
das **Geräusch;** die Geräusche
Gerda
gerecht; ein gerechter Vorgesetzter
Gerhard
das **Gericht;** die Gerichte (**1.** Speise; **2.** Amt für Rechtsprechung)

1.

2.

das Gericht

gerieben siehe reiben
geriet siehe geraten

gering; die Kosten sind gering
gerissen; er ist ein gerissener Bursche
geritten siehe reiten
gern und **gerne**; lieber, am liebsten
gerochen siehe riechen
die **Gerste**

die Gerste

Gertrud
der **Geruch;** die Gerüche
gerungen siehe ringen
das **Gerüst;** die Gerüste **(21)**
gesandt siehe senden
der **Gesang;** die Gesänge
das **Geschäft;** die Geschäfte
geschehen; etwas geschieht, etwas geschah, etwas ist geschehen
gescheit; am gescheitesten; ein gescheiter Junge
das **Geschenk;** die Geschenke
die **Geschichte;** die Geschichten
geschickt; ein geschickter Junge
geschieden siehe scheiden
geschienen siehe scheinen
das **Geschirr** (1. Eßgeschirr; 2. Pferdegeschirr)

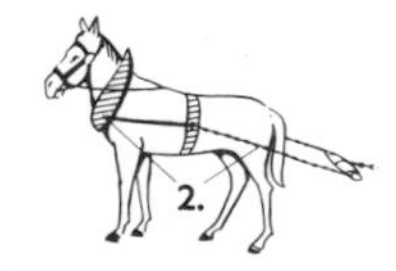

das Geschirr

das **Geschlecht;** die Geschlechter
geschlichen siehe schleichen
geschlossen siehe schließen
geschlungen siehe schlingen
der **Geschmack**
geschmissen siehe schmeißen
geschmolzen siehe schmelzen
geschnitten siehe schneiden
geschoben siehe schieben
geschoren siehe scheren
geschossen siehe schießen
das **Geschrei**
geschrien und **geschrieen** siehe schreien
geschwiegen siehe schweigen
geschwind; komm geschwind!
die **Geschwindlgkeit**; die Geschwindigkeiten
die **Geschwister**
geschwommen siehe schwimmen
geschworen siehe schwören
geschwunden siehe schwinden
geschwungen siehe schwingen
das **Geschwür;** die Geschwüre
der **Geselle;** die Gesellen
gesessen siehe sitzen
das **Gesetz**; die Gesetze
das **Gesicht**; die Gesichter
gesoffen siehe saufen
das **Gespenst**; die Gespenster
gesponnen siehe spinnen
das **Gespräch;** die Gespräche
gesprochen siehe sprechen
gesprossen siehe sprießen
gesprungen siehe springen
die **Gestalt**; die Gestalten
gestanden siehe stehen
gestern; gestern waren wir in Stuttgart
gestiegen siehe steigen
gestochen siehe stechen
gestohlen siehe stehlen
gestorben siehe sterben
gestreift; sie hat ein gestreiftes Kleid an
gestrichen siehe streichen
gestritten siehe streiten
das **Gestrüpp;** die Gestrüppe
gestunken siehe stinken
gesund; gesünder, am gesündesten; ein gesundes Kind
die **Gesundheit**
gesungen siehe singen
gesunken siehe sinken

getan siehe tun
das **Getränk;** die Getränke
sich **getrauen;** du getraust dich nicht, er getraut sich nicht, er hat sich nicht getraut zu springen
das **Getreide**
getrieben siehe treiben
getroffen siehe treffen
getrunken siehe trinken
die **Gewalt**
gewaltig; er hat einen gewaltigen Hunger
gewandt siehe wenden
gewandt; am gewandtesten; ein gewandter Mann
gewann siehe gewinnen
das **Gewehr;** die Gewehre **(8)**
das **Geweih;** die Geweihe
gewesen siehe sein
gewichen siehe weichen
das **Gewicht;** die Gewichte
der **Gewinn;** die Gewinne
gewinnen; du gewinnst, er gewinnt, er gewann, er hat gewonnen, gewinne endlich einmal!
gewiß; gewisser, am gewissesten; er kommt gewiß
das **Gewissen**
gewissenhaft; er erledigt das gewissenhaft
das **Gewitter;** die Gewitter
gewogen siehe wiegen
sich **gewöhnen;** du gewöhnst dich daran, er gewöhnt sich daran, er gewöhnte sich daran, er hat sich daran gewöhnt, gewöhne dich daran!
gewöhnlich; gewöhnlich geht er diesen Weg nach Hause
gewonnen siehe gewinnen
geworden siehe werden
geworfen siehe werfen
das **Gewürz;** die Gewürze **(1)**
gewußt siehe wissen
gezogen siehe ziehen
gezwungen siehe zwingen
gib! siehe geben
der **Giebel;** die Giebel **(15)**
gierig; er verschlang gierig das Essen
gießen; du gießt, er gießt, er goß, er hat die Blumen gegossen, gieße die Blumen!
die **Gießkanne;** die Gießkannen **(4)**
das **Gift;** die Gifte
giftig; eine giftige Schlange
gilt siehe gelten
der **Gipfel;** die Gipfel
der **Gips**
die **Giraffe;** die Giraffen **(22)**
Gisela
das **Gitter;** die Gitter
die **Gladiole;** die Gladiolen **(20)**
glänzen; etwas glänzt, etwas glänzte, etwas hat geglänzt
das **Glas;** die Gläser **(1)**
die **Glasplatte;** die Glasplatten **(5)**
glatt; glatter und glätter, am glattesten und am glättesten; im Winter ist die Straße glatt
das **Glatteis**
glauben; du glaubst, er glaubt, er glaubte, er hat es geglaubt, glaube daran!
gleich; ich komme gleich
das **Gleis;** die Gleise **(14)**
gleiten; das Segelflugzeug gleitet, das Segelflugzeug glitt, das Segelflugzeug ist nach unten geglitten
das **Glied;** die Glieder
glitt siehe gleiten
glitzern; der Schnee glitzert, der Schnee glitzerte, der Schnee hat geglitzert
die **Glocke;** die Glocken
glotzen; du glotzt, er glotzt, er glotzte, er hat geglotzt, glotze nicht so!
das **Glück**
die **Glucke;** die Glucken

die Glocke

glücklich; ein glückliches Kind
der **Glückwunsch**; die Glückwünsche
glühen; der Ofen glüht, der Ofen glühte, der Ofen hat geglüht
die **Glut**
das **Gold**
der **Goldfisch**; die Goldfische **(23)**
der **Goldhamster**; die Goldhamster **(23)**
die **Gondel**; die Gondeln
gönnen; du gönnst, er gönnt, er gönnte, er hat es mir nicht gegönnt, gönne es ihm!
goß siehe gießen
die **Gosse** (die Abflußrinne); die Gossen
der **Gott**; die Götter
Gottfried
gottlos; ein gottloser Mensch
das **Grab**; die Gräber
graben; du gräbst, er gräbt, er grub, er hat gegraben, grabe hier ein Loch!
der **Graben**; die Gräben
gräbt siehe graben
grade siehe gerade
das **Gramm**; die Gramme; 2 Gramm
das **Gras**; die Gräser
gräßlich; ein gräßlicher Anblick
die **Gräte**; die Gräten
gratulieren; du gratulierst, er gratuliert, er gratulierte, er hat ihm zum Geburtstag gratuliert, gratuliere ihm!
grau; grauer, am grausten und am grauesten
grausam; ein grausamer Mensch
greifen; du greifst, er greift, er griff, er hat danach gegriffen, greife danach!
der **Greis**; die Greise
die **Grenze**; die Grenzen
Grete
Griechenland
der **Grießbrei**
griff siehe greifen
der **Griffel**; die Griffel
die **Grille**; die Grillen
die **Grimasse**; die Grimassen
grimmig; blick nicht so grimmig!
grinsen; du grinst, er grinst, er grinste, er hat gegrinst, grinse nicht!
grob; gröber, am gröbsten; ein grober Unfug
der **Groschen**; die Groschen
groß; größer, am größten; ein großer Wald
die **Großeltern**
die **Großmutter**; die Großmütter
der **Großvater**; die Großväter
die **Grube**; die Gruben
grün; eine grüne Wiese
der **Grund**; die Gründe
grunzen; das Schwein grunzt, das Schwein grunzte, das Schwein hat gegrunzt
der **Gruß**; die Grüße
grüßen; du grüßt, er grüßt, er grüßte, er hat ihn gegrüßt, grüße ihn!
die **Grütze**
gucken; du guckst, er guckt, er guckte, er hat geguckt, gucke nicht so dumm!
Gudrun
der **Gummi** (Radiergummi); die Gummis
Gunther
Günter und **Günther**
die **Gurke**; die Gurken **(19)**
der **Gürtel**; die Gürtel
Gustav
gut; besser, am besten; ein guter Schüler
der **Güterwagen**; die Güterwagen **(14)**
der **Güterzug**; die Güterzüge

H

das **Haar**; die Haare; das Härchen **(9)**
haarscharf; der Ball ging haarscharf neben das Tor
haben; du hast, er hat, er hatte, er hat eine Erkältung gehabt; Gott hab' ihn selig!

der Habicht

der **Habicht;** die Habichte
die **Hacke;** die Hacken
hacken; du hackst, er hackt, er hackte, er hat Holz gehackt, hacke Holz!
der **Hafen;** die Häfen **(27)**
der **Hafer**
die **Haferflocken**
der **Hagel**
der **Hahn;** die Hähne **(16)**
häkeln; du häkelst, sie häkelt, sie häkelte, sie hat ein Kleid gehäkelt, häkele nicht so viel!
der **Haken;** die Haken
halb; es schlägt halb zwölf
half siehe helfen
die **Hälfte;** die Hälften
der **Halfter** und das **Halfter;** die Halfter **(17)**
die **Halle;** die Hallen
hallo!
der **Halm;** die Halme **(18)**
der **Hals;** die Hälse
halt!
halten; du hälst, er hält, er hielt, er hat die Tasche gehalten, halte die Tasche!
die **Haltestelle;** die Haltestellen **(6)**
der **Hammel;** die Hammel und die Hämmel
der **Hammer;** die Hämmer **(21)**
der **Hampelmann;** die Hampelmänner **(2)**
der **Hamster;** die Hamster
die **Hand;** die Hände **(17)**
handeln; du handelst, er handelt, er handelte, er hat gehandelt, handele richtig!
die **Handschrift;** die Handschriften
der **Handschuh;** die Handschuhe **(13)**
das **Handtuch;** die Handtücher **(9)**
der **Handwagen;** die Handwagen
der **Handwerker;** die Handwerker **(15)**
hängen; du hängst, er hängt, er hängte den Rock an die Wand, hänge ihn an den Haken!; a b e r: die Kleider hängen an der Wand, die Kleider hingen an der Wand, die Kleider haben an der Wand gehangen
Hans
Härchen siehe Haar
die **Harke;** die Harken **(16)**
hart; härter, am härtesten; hartes Brot
Hartmut
hartnäckig; er hat sich hartnäckig geweigert
der **Harz**
der **Hase;** die Hasen **(18)**
die **Haselnuß;** die Haselnüsse
hassen; du haßt ihn, er haßt ihn, er haßte ihn, er hat ihn gehaßt, hasse ihn nicht!
häßlich; ein häßliches Mädchen
hastig; iß nicht so hastig!
hatte siehe haben
die **Haube;** die Hauben
hauen; du haust ihn, er haut ihn, er haute ihn, er hat ihn gehauen, haue ihn nicht!
der **Haufen;** die Haufen
häufig; er kam häufig zu spät
das **Haupt;** die Häupter

der Hamster

der **Hauptbahnhof;** die Hauptbahnhöfe
die **Hauptsache;** die Hauptsachen
das **Haus;** die Häuser **(15)**; er ist zu Hause; er geht nach Hause; von Haus zu Haus
die **Hausfrau;** die Hausfrauen
der **Hausschuh;** die Hausschuhe
die **Haustür;** die Haustüren **(15)**
die **Haut**; die Häute
heben; du hebst, er hebt, er hob, er hat den Stein gehoben, hebe diesen Stein!
der **Hecht;** die Hechte
die **Hecke;** die Hecken **(11)**
Hedwig
das **Heer;** die Heere
das **Heft;** die Hefte **(9)**
heftig; ein heftiger Sturm
die **Heide**
der **Heide;** die Heiden
das **Heidekraut**
die **Heidelbeere;** die Heidelbeeren **(20)**
heil; das Knie ist wieder heil
heilfroh; ich bin heilfroh, daß alles vorüber ist
heilig; das heilige Abendmahl, aber: der Heilige Abend
der **Heiligabend**
die **Heimat**
heimfahren; er fährt heim, er ist heimgefahren
heimgehen; er geht heim, er ist heimgegangen
heimkommen; er kommt heim, er ist um 3 Uhr heimgekommen
heimlich; das hat er heimlich getan
das **Heimweh**
die **Heirat;** die Heiraten
heiraten; du heiratest, er heiratet, er heiratete, er hat vor zwei Jahren geheiratet, heirate bald!
heiser; seine Stimme ist heiser
heiß; am heißesten; ein heißer Tag
heißen; du heißt, er heißt, er hieß, er hat Müller geheißen, heiß ihn wie du willst!
heiter; das Wetter ist sonnig und heiter
heizen; du heizt, er heizt, er heizte, er hat geheizt, heize besser!
die **Heizung;** die Heizungen **(3)**
der **Held;** des Helden, die Helden
helfen; du hilfst ihm, er hilft ihm, er half ihm, er hat ihm geholfen, hilf ihm!
Helga
hell; im Sommer wird es um 4 Uhr hell
der **Helm;** die Helme
Helmut
das **Hemd;** die Hemden **(3)**
der **Henkel;** die Henkel
die **Henne;** die Hennen
her; hin und her
herab; heran, herauf, heraus, herbei
herauskommen; er kommt heraus, er ist herausgekommen
die **Herberge;** die Herbergen
Herbert
der **Herbst**
der **Herd;** die Herde **(1)**
die **Herde;** die Herden
herein!
hereinkommen; er kommt herein, er soll hereinkommen
der **Hering;** die Heringe

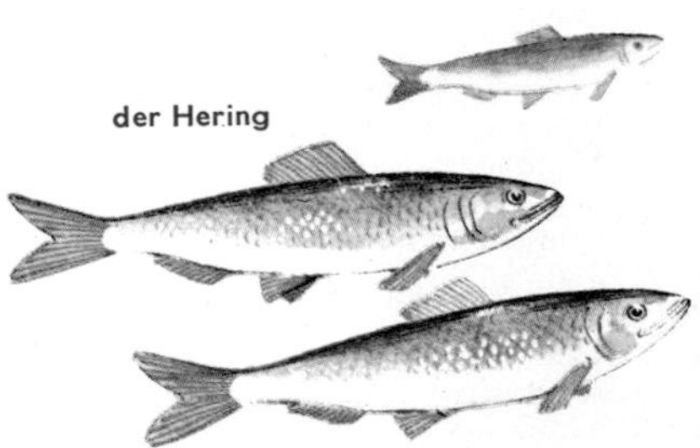
der Hering

herkommen; er kommt her, er ist hergekommen
Hermann
der **Herr;** des Herrn und des Herren, die Herren
herrlich; im Urlaub war es herrlich
der **Herrscher;** die Herrscher
Herta
herüber; herum, herunter, hervor

herumlaufen; überall laufen Hühner herum, überall sind Hühner herumgelaufen

herunterfallen; das Buch fällt herunter, das Buch ist heruntergefallen

das **Herz;** des Herzens, die Herzen

herzlich; grüße ihn recht herzlich!

das **Heu (18)**

heulen; du heulst, er heult, er heulte, er hat geheult, heule nicht!

heute; heute abend

der **Heuwagen;** die Heuwagen

die **Hexe;** die Hexen

hieb siehe hauen

hielt siehe halten

hier; hier und da; hieran, hierauf, hieraus, hierdurch, hierher, hierhin, hierunter

hieß siehe heißen

Hilda, Hilde, Hildegard

Hildegund

hilf siehe helfen

die **Hilfe;** die Hilfen

hilflos; er lag hilflos auf der Straße

hilft siehe helfen

die **Himbeere;** die Himbeeren **(20)**

der **Himmel**

himmlisch; eine himmlische Ruhe

hin; hinab, hinauf, hinaus, hindurch, hinein

hinbringen; er bringt den Korb hin, er hat den Korb hingebracht

hinfahren; er fährt hin, er ist hingefahren

hinfallen; er fällt hin, er ist hingefallen

hinfliegen; er fliegt hin, er ist hingeflogen

hingehen; er geht hin, er ist hingegangen

hinken; du hinkst, er hinkt, er hinkte, er hat gehinkt, hinke nicht!

hinlaufen; er läuft hin, er ist hingelaufen

hinlegen; er legt das Buch hin; er hat das Buch hingelegt; sich hinlegen; er legt sich hin

sich **hinsetzen;** er setzt sich hin, er hat sich hingesetzt

hinstellen; er stellt den Stuhl hin, er hat den Stuhl hingestellt

hinten; hintenherum

hinter; hintereinander, hinterher

hinterherlaufen; er läuft hinterher, er ist hinterhergelaufen

hinterlistig; ein hinterlistiger Kerl

hinüber; hinunter, hinweg, hinzu

hinwerfen; er wirft das Glas hin, er hat das Glas hingeworfen

der **Hirsch;** die Hirsche

der Hirsch

der **Hirt;** des Hirten, die Hirten

die **Hitze**

hitzefrei; heute haben wir hitzefrei

hob siehe heben

der **Hobel;** die Hobel

hobeln; du hobelst, er hobelt, er hobelte, er hat das Brett gehobelt, hobele dieses Brett!

hoch; höher, am höchsten

hochheben; er hebt den Stein hoch, er hat den Stein hochgehoben

der **Hochsprung (10)**

höchstens; es ist höchstens 18 Uhr

die **Hochzeit;** die Hochzeiten

hocken; du hockst, er hockt, er hockte, er hat immer auf dem gleichen Platz gehockt

der **Hocker;** die Hocker **(5)**

der **Hof;** die Höfe

hoffen; du hoffst, er hofft, er hoffte, er hat gehofft, hoffe!

hoffentlich; du bist hoffentlich gesund

die **Hoffnung;** die Hoffnungen

höflich; ein höfliches Kind
hohe; hohe Häuser
die **Höhe;** die Höhen
hohl; ein hohler Baumstamm
die **Höhle;** die Höhlen
holen; du holst, er holt, er holte, er hat das Buch geholt, hole das Buch!
Holland
die **Hölle**
holprig und **holperig;** ein holpriges Pflaster
das **Holz;** die Hölzer
der **Honig**
hopp! hopp, hopp!; hoppla!
horchen; du horchst, er horcht, er horchte, er hat an der Tür gehorcht, horche nicht an der Tür!
hören; du hörst, er hört, er hörte, er hat von dem Unglück gehört
das **Horn;** die Hörner (1. an der Stirn von Tieren; 2. Blasinstrument)

das Horn

Horst
die **Hose;** die Hosen **(28)**
hü!; hü, hott!
Hubert
hübsch; ein hübsches Mädchen
der **Hubschrauber;** die Hubschrauber **(24)**
huckepack; er trug ihn huckepack
das **Hufeisen;** die Hufeisen
der **Hügel;** die Hügel
Hugo
das **Huhn;** die Hühner **(16)**
die **Hühnerleiter;** die Hühnerleitern
der **Hühnerstall;** die Hühnerställe
die **Hummel;** die Hummeln

die Hummel

der **Hund;** die Hunde **(16)**
hundert
der **Hunger**
hungern; du hungerst, er hungert, er hungerte, er hat gehungert
hungrig; er ist hungrig
der **Hunsrück**
die **Hupe;** die Hupen
hupen; du hupst, er hupt, er hupte, er hat gehupt, hupe nicht dauernd!
hüpfen; du hüpfst, er hüpft, er hüpfte, er hat den ganzen Morgen gehüpft, hüpfe nicht dauernd!
hurra!
husch!; husch, husch!
husten; du hustest, er hustet, er hustete, er hat gehustet, huste nicht!
der **Husten**
der **Hut;** die Hüte **(12)**
hüten; du hütest, er hütet, er hütete, er hat die Schafe gehütet, hüte die Schafe!; sich hüten; hüte dich!
die **Hütte;** die Hütten

I

ich; ich lese
Ida
der **Igel;** die Igel

der Igel

ihm; ihn, ihnen
ihr; in Briefen: Ihr
Ilse
der **Iltis;** des Iltisses, die Iltisse

der Iltis

im; im ganzen
der **Imker;** die Imker
immer; immerfort, immerhin, immerzu; immer mehr
impfen; er wurde geimpft
in; ich bin in der Schule, aber: ich gehe in die Schule
der **Indianer;** die Indianer
Indien
ineinander; die Fäden haben sich ineinander verschlungen
Inge, Ingeborg
Ingrid
der **Inhalt;** die Inhalte
innen; innen und außen
das **Insekt;** die Insekten
die **Insel;** die Inseln
interessant; eine interessante Geschichte
das **Interesse;** die Interessen
inzwischen; inzwischen ist es 19 Uhr geworden
der **I-Punkt;** die I-Punkte
irgend; irgendwann, irgendwie, irgendwo, irgendwoher, irgendwohin, irgendwas (aber: irgend etwas)
Irland
Irmgard
Irmtraud
irren; du irrst dich, er irrt sich, er irrte sich, er hat sich geirrt
der **Irrtum;** die Irrtümer
die **Isar**
Island
Israel
iß! siehe essen
ist siehe sein
Italien

J

ja; ach ja; ja sagen
die **Jacke;** die Jacken; das **Jäckchen (28)**
die **Jagd;** die Jagden
der **Jagdhund;** die Jagdhunde
jagen; du jagst, er jagt, er jagte, er hat den Hirsch gejagt, jage kein krankes Wild!
der **Jäger;** die Jäger
das **Jahr;** die Jahre
jährlich; er zahlt seinen Beitrag jährlich
der **Jahrmarkt;** die Jahrmärkte
jähzornig; sei doch nicht so jähzornig!
Jakob
jammern; du jammerst, er jammert, er jammerte, er hat gejammert, jammere nicht!
der **Januar;** des Januar und des Januars
Japan
jäten; du jätest, er jätet, er jätete, er hat Unkraut gejätet, jäte das Unkraut!
die **Jauche**
jaulen; der Hund jault, der Hund jaulte, der Hund hat gejault
jawohl; jawohl, ich komme mit
je; seit je
jedenfalls; er hat jedenfalls nichts davon gewußt
jeder; jede, jedes; jeder Mann
jedesmal; er kommt jedesmal zu spät
jemand; irgend jemand, jemand anders
jener; jene, jenes
jenseits; jenseits des Flusses
Jesus; Jesus Christus
jetzt; jetzt ist es zu spät
Joachim
jodeln; du jodelst, er jodelt, er jodelte, er hat gejodelt, jodle!
Johannes
die **Johannisbeere;** die Johannisbeeren **(20)**
johlen; du johlst, er johlt, er johlte, er hat gejohlt, johle nicht so laut!
Josef und **Joseph (25)**
sich **jucken;** der Hund juckt sich, der Hund juckte sich, der Hund hat sich gejuckt
die **Jugend**
die **Jugendherberge;** die Jugendherbergen
jugendlich; jugendliche Zuschauer
Jugoslawien
der **Juli;** des Juli und des Julis

jung; jünger, am jüngsten; ein junger Hund
der **Junge;** des Jungen, die Jungen
der **Juni;** des Juni und des Junis
Jürgen
Jutta

K

die **Kachel;** die Kacheln **(5)**
der **Käfer;** die Käfer

der Käfer

der **Kaffee**
die **Kaffeekanne;** die Kaffeekannen
der **Käfig;** die Käfige **(22)**
kahl; kahle Bäume
der **Kahn;** die Kähne; Kahn fahren
der **Kaiser;** die Kaiser
der **Kakao (19)**
das **Kalb;** die Kälber; das **Kälbchen (17)**
der **Kalender;** die Kalender **(1)**
kalt; kälter, am kältesten, ein kalter Tag
die **Kälte**
kam siehe kommen
das **Kamel;** die Kamele

das Kamel

die **Kamille;** die Kamillen
der **Kamin;** die Kamine
der **Kamm;** die Kämme (1. Hahnenkamm; 2. Gebirgskamm; 3. Gerät zum Kämmen der Haare)

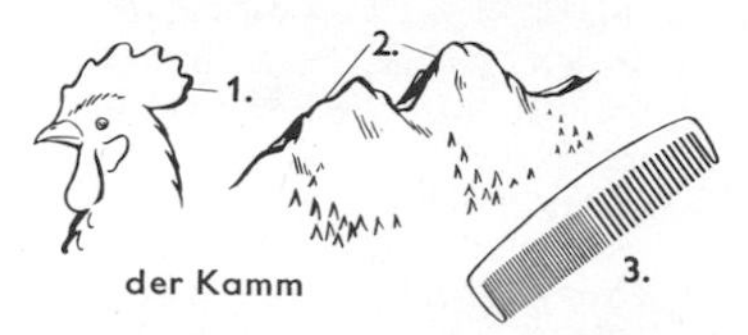

der Kamm

kämmen; du kämmst, er kämmt, er kämmte, er hat sein Haar gekämmt, kämme dein Haar!
die **Kammer;** die Kammern
der **Kampf;** die Kämpfe
kämpfen; du kämpfst, er kämpft, er kämpfte, er hat gekämpft, kämpfe!
Kanada; die **Kanadier**
der **Kanal;** die Kanäle
der **Kanarienvogel;** die Kanarienvögel **(23)**
das **Känguruh;** die Känguruhs **(22)**
das **Kaninchen;** die Kaninchen

das Kaninchen

kann siehe können
die **Kanne;** die Kannen **(1)**
kannte siehe kennen
die **Kante;** die Kanten
die **Kapelle;** die Kapellen (1. kleine Kirche; 2. Musikkapelle)

die Kapelle

kapieren; du kapierst, er kapiert, er kapierte, er hat nichts kapiert, kapiere doch endlich!
der **Kapitän;** die Kapitäne
die **Kappe;** die Kappen
kaputt; das Auto ist kaputt
kaputtgehen; der Roller geht kaputt, der Roller ist kaputtgegangen
sich **kaputtlachen;** er lacht sich kaputt, er hat sich kaputtgelacht
kaputtmachen; er macht alles kaputt, er hat alles kaputtgemacht
die **Kapuze;** die Kapuzen
kariert; ein kariertes Hemd
Karl
der **Karneval**
die **Karotte;** die Karotten
der **Karpfen;** die Karpfen

der Karpfen

die **Karre** und der **Karren;** die Karren
die **Karte;** die Karten (1. Landkarte; 2. Spielkarte; 3. Postkarte; 4. Eintrittskarte)

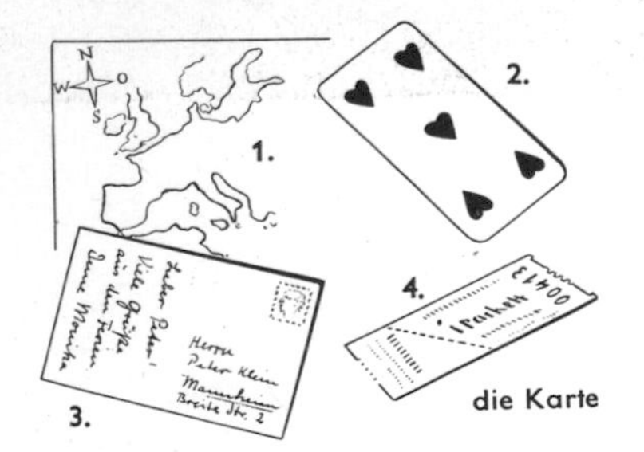

die Karte

die **Kartoffel;** die Kartoffeln **(1)**
der **Karton;** die Kartons **(19)**
das **Karussell;** die Karusselle und die Karussells **(8)**

der **Käse (19)**
der **Kasper;** die Kasper
das **Kasperletheater;** die Kasperletheater
die **Kasse;** die Kassen **(8)**
die **Kastanie;** die Kastanien

die Kastanie

der **Kasten;** die Kästen
der **Kater;** die Kater
Katharina
Käthe und **Käte**
der **Katholik;** des Katholiken, die Katholiken
katholisch; er ist katholisch
die **Katze;** die Katzen; das **Kätzchen (1)**
kauen; du kaust, er kaut, er kaute, er hat gekaut, kaue besser!
kaufen; du kaufst, er kauft, er kaufte, er hat das Auto gekauft, kaufe es doch!
der **Käufer;** die Käufer
der **Kaufmann;** die Kaufleute **(19)**
der **Kaugummi;** die Kaugummi und die Kaugummis
die **Kaulquappe;** die Kaulquappen
kaum; ich kann es kaum glauben
das **Käuzchen;** die Käuzchen
keck; ein kecker Junge
die **Kehle;** die Kehlen
kehren; du kehrst, er kehrt, er kehrte, er hat die Straße gekehrt, kehre die Straße!
kein; keinerlei, keinesfalls, keineswegs, keinmal
der **Keks;** des Kekses, die Kekse
der **Keller;** die Keller

der **Kellner;** die Kellner
kennen; du kennst ihn, er kennt ihn, er kannte ihn, er hat ihn gekannt
der **Kerl;** die Kerle und die Kerls
der **Kern;** die Kerne
die **Kerze;** die Kerzen **(25)**
der **Kessel;** die Kessel
die **Kette;** die Ketten (1. Hundekette; 2. Halskette)

die Kette

das **Kettenkarussell;** die Kettenkarusselle und die Kettenkarussells **(8)**
der **Keuchhusten**
kichern; du kicherst, er kichert, er kicherte, er hat gekichert, kichere nicht!
kicken; du kickst, er kickt, er kickte, er hat gekickt, kicke!
der **Kiefer;** die Kiefer

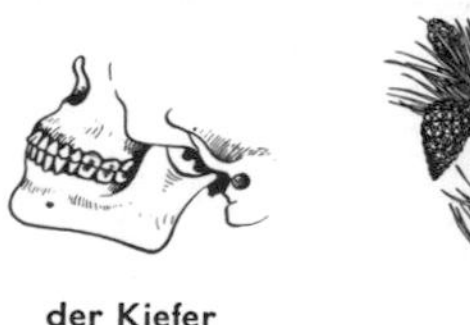

der Kiefer

die Kiefer

die **Kiefer;** die Kiefern
die **Kieme;** die Kiemen
der **Kies (21)**
das **Kind;** die Kinder
der **Kindergarten;** die Kindergärten
der **Kindergottesdienst**
das **Kinderzimmer;** die Kinderzimmer **(2)**
kindlich; kindliche Freude
das **Kinn;** die Kinne
das **Kino;** die Kinos **(15)**
der **Kiosk;** die Kioske **(11)**
kippen; du kippst, er kippt, er kippte, er hat die Kiste gekippt, aber: der Stuhl ist plötzlich gekippt
die **Kirche;** die Kirchen
der **Kirchturm;** die Kirchtürme **(15)**
die **Kirchweih;** die Kirchweihen
die **Kirmes**
der **Kirschbaum;** die Kirschbäume
die **Kirsche;** die Kirschen **(20)**
das **Kissen;** die Kissen **(3)**
die **Kiste;** die Kisten
der **Kittel;** die Kittel **(12)**
kitzeln; du kitzelst ihn, er kitzelt ihn, er kitzelte ihn, er hat ihn gekitzelt, kitzle ihn nicht!
kitzlig und **kitzelig;** bist du kitzlig?
klagen; du klagst, er klagt, er klagte, er hat geklagt, klage nicht!
die **Klammer;** die Klammern
klang siehe klingen
der **Klang;** die Klänge
klappen; etwas klappt, etwas klappte, etwas hat geklappt
klappern; du klapperst, er klappert, er klapperte, er hat mit den Tassen geklappert, klappere nicht mit den Tassen!
der **Klapperstorch;** die Klapperstörche
der **Klaps;** die Klapse
klar; klares Wasser
Klara
die **Klasse;** die Klassen
das **Klassenbuch;** die Klassenbücher **(9)**
der **Klassenlehrer;** die Klassenlehrer
klatschen; du klatschst, er klatscht, er klatschte, er hat Beifall geklatscht, klatsche!
der **Klatschmohn (18)**
klatschnaß; er kam klatschnaß nach Hause
klauen; du klaust, er klaut, er klaute, er hat nur einen Bleistift geklaut
Klaus
das **Klavier;** die Klaviere; Klavier spielen
kleben; du klebst, er klebt, er klebte, er hat den Riß geklebt, klebe den Riß!
klebrig; er hat klebrige Finger
der **Klecks;** die Kleckse
der **Klee**
das **Kleid;** die Kleider **(2)**

der **Kleiderhaken**; die Kleiderhaken **(5)**
der **Kleiderschrank**; die Kleiderschränke
der **Kleiderständer**; die Kleiderständer **(12)**
klein; ein kleines Mädchen
klemmen; die Tür klemmt, die Tür klemmte, die Tür hat geklemmt
die **Klette**; die Kletten
klettern; du kletterst, er klettert, er kletterte, er ist auf den Baum geklettert, klettere nicht auf den Baum!
die **Klingel**; die Klingeln
klingeln; du klingelst, er klingelt, er klingelte, er hat geklingelt, klingle!
klirren; die Kette klirrt, die Kette klirrte, die Kette hat geklirrt
klopfen; du klopfst, er klopft, er klopfte, er hat an die Tür geklopft, klopfe ans Fenster!
das **Klosett**; die Klosetts **(5)**
der **Kloß**; die Klöße
das **Kloster**; die Klöster
der **Klotz**; die Klötze
klug; klüger, am klügsten; ein kluger Junge
der **Klumpen**; die Klumpen
knabbern; du knabberst, er knabbert, er knabberte, er hat am Brot geknabbert, knabbere nicht am Brot!
der **Knabe**; die Knaben
knacken; du knackst, er knackt, er knackte, er hat Nüsse geknackt, knacke die Nüsse!
der **Knall**; die Knalle
knallen; etwas knallt, etwas knallte, etwas hat geknallt
knapp; die Kartoffeln werden knapp
knarren; die Tür knarrt, die Tür knarrte, die Tür hat geknarrt
knattern; das Motorrad knattert, das Motorrad knatterte, das Motorrad hat geknattert
der **Knäuel** und das **Knäuel**; die Knäuel
der **Knecht**; die Knechte
kneifen; du kneifst mich, er kneift mich, er kniff mich, er hat mich oder mir in den Arm gekniffen, kneife ihn nicht!
der **Knicks**; die Knickse
das **Knie**; die Knie **(12)**
knien; du kniest, er kniet, er kniete, er hat gekniet, knie!
kniff siehe kneifen
knipsen; du knipst ihn, er knipst ihn, er knipste ihn, er hat ihn mit seinem neuen Fotoapparat geknipst, knipse ihn!
der **Knirps**; die Knirpse (1. kleiner Kerl; 2. Wz zusammenschiebbarer Regenschirm)

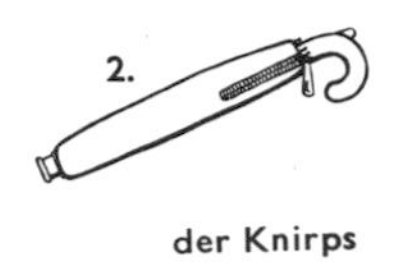

der Knirps

knirschen; der Schnee knirscht, der Schnee hat geknirscht
knistern; das Papier knistert, das Papier hat geknistert
knittern; das Kleid knittert, das Kleid hat geknittert
der **Knöchel**; die Knöchel
der **Knochen**; die Knochen
der **Knopf**; die Knöpfe **(3)**
die **Knospe**; die Knospen
der **Knoten**; die Knoten
der **Knüppel**; die Knüppel
knurren; der Hund knurrt, der Hund knurrte, der Hund hat geknurrt
das **Knusperhäuschen**; die Knusperhäuschen
knuspern; du knusperst, er knuspert, er knusperte, er hat am Hexenhäuschen geknuspert
kochen; du kochst, sie kocht, sie kochte, sie hat eine Suppe gekocht, koche mir auch eine Suppe!
der **Koffer**; die Koffer **(14)**
die **Kohle**; die Kohlen
der **Kohlkopf**; die Kohlköpfe **(4)**
der **Kohlweißling**; die Kohlweißlinge
der **Koks**

komisch; ein komischer Mensch
das **Komma**; die Kommas und die Kommata
kommen; du kommst, er kommt, er kam, er ist gekommen, komme!
die **Kommode**; die Kommoden
die **Kommunion**; die Kommunionen
das **Kompott**; die Kompotte
die **Konditorei**; die Konditoreien
die **Konfirmation**; die Konfirmationen
konfirmieren; er ist konfirmiert worden
der **König**; die Könige
die **Königin**; die Königinnen
können; du kannst es, er kann es, er konnte es, er hat das nicht gekonnt
Konrad
der **Kopf**; die Köpfe
das **Kopfkissen**; die Kopfkissen **(2)**
die **Kopfschmerzen**
das **Kopftuch**; die Kopftücher **(17)**
der **Korb**; die Körbe **(4)**
das **Korn**; die Körner
die **Kornblume**; die Kornblumen **(18)**
der **Körper**; die Körper
der **Korridor**; die Korridore
kosten; etwas kostet viel Geld, etwas kostete viel Geld, etwas hat viel Geld gekostet
das **Kostüm**; die Kostüme **(12)**
das **Kotelett**; die Koteletts
der **Köter**; die Köter
der **Kotflügel**; die Kotflügel
krabbeln; du krabbelst unter den Tisch, er krabbelt unter den Tisch, er ist unter den Tisch gekrabbelt, krabble unter den Tisch!
der **Krach**
krachen; das Brett kracht, das Brett ist gekracht
die **Kraft**; die Kräfte
kräftig; ein kräftiges Kind
der **Kragen**; die Kragen **(2)**
die **Krähe**; die Krähen
krähen; der Hahn kräht, der Hahn krähte, der Hahn hat gekräht
die **Kralle**; die Krallen
der **Kran**; die Kräne **(21)**
krank; kränker, am kränksten; ein krankes Kind
der **Kranke**; des Kranken, die Kranken
das **Krankenhaus**; die Krankenhäuser
der **Krankenwagen**; die Krankenwagen **(24)**
die **Krankheit**; die Krankheiten
der **Kranz**; die Kränze

der Kranz

kratzen; du kratzt, er kratzt, er kratzte, er hat mich gekratzt, kratze nicht!
die **Krawatte**; die Krawatten **(28)**
der **Krebs**; die Krebse

der Krebs

die **Kreide (9)**
der **Kreis**; die Kreise
der **Kreisel**; die Kreisel **(2)**
die **Krem** siehe die Creme
das **Kreuz**; die Kreuze

die Krähe

die Kreuzotter

die **Kreuzotter;** die Kreuzottern
kreuz und quer; er lief kreuz und quer durch den Wald
die **Kreuzung;** die Kreuzungen **(6)**
kriechen; du kriechst, er kriecht, er kroch, er ist durch die Stube gekrochen, krieche durch dieses Loch im Zaun!
der **Krieg;** die Kriege
kriegen; du kriegst ein neues Fahrrad, er hat ein neues Fahrrad gekriegt
Kriemhild
die **Krippe;** die Krippen **(25)**
kritzeln; du kritzelst, er kritzelt, er kritzelte, er hat Männchen in sein Heft gekritzelt, kritzle nicht immer!
kroch siehe kriechen
das **Krokodil;** die Krokodile

das Krokodil

die **Krone;** die Kronen
die **Kröte;** die Kröten
der **Krug;** die Krüge
krumm; krummer, am krummsten; krumme Beine
die **Küche;** die Küchen **(1)**
der **Kuchen;** die Kuchen
die **Küchenmaschine;** die Küchenmaschinen **(1)**
der **Küchenschrank;** die Küchenschränke **(1)**
die **Küchenuhr;** die Küchenuhren **(1)**
der **Kuckuck;** die Kuckucke

der Kuckuck

die **Kugel;** die Kugeln
kugelrund; der Ball ist kugelrund
die **Kuh;** die Kühe **(17)**
kühl; kühles Wetter
der **Kühlschrank;** die Kühlschränke **(1)**
die **Kühltruhe;** die Kühltruhen **(19)**
kühn; ein kühner Fahrer
das **Küken;** die Küken **(16)**
kullern; du kullerst, er kullert, er kullerte, er hat den Ball über den Tisch gekullert, aber: die Baumstämme sind auf die Straße gekullert
sich **kümmern;** du kümmerst dich, er kümmert sich, er kümmerte sich, er hat sich um seine Schwester gekümmert, kümmere dich um sie!

die Kröte

das **Kunststück**; die Kunststücke
der **Kürbis**; die Kürbisse

der Kürbis

die **Kurve**; die Kurven
kurz; kürzer, am kürzesten; Lügen haben kurze Beine
die **Kusine**; die Kusinen
der **Kuß**; des Kusses, die Küsse
küssen; du küßt, er küßt, er küßte, er hat sie auf die Stirn geküßt, küsse oder küß sie!
die **Küste**; die Küsten
die **Kutsche**; die Kutschen
der **Kutscher**; die Kutscher

L

lächeln; du lächelst, er lächelt, er lächelte, er hat gelächelt, lächele!
lachen; du lachst, er lacht, er lachte, er hat gelacht, lache!
lächerlich; mach dich nicht lächerlich
der **Laden**; die Läden (1. Geschäft; 2. Fensterladen)

der Laden

die **Ladentür**; die Ladentüren **(19)**
lag siehe legen
das **Lager**; die Lager (1. Warenlager; 2. Zeltlager; 3. Kugellager)

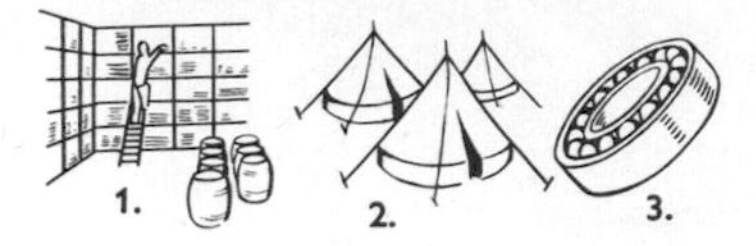

das Lager

lahm; sei doch nicht so lahm!
die **Lahn**
der **Laib**; ein Laib Brot
die **Lametta** und das **Lametta (25)**
das **Lamm**; das **Lämmchen**

das Lamm

die **Lampe**; die Lampen **(3)**
das **Land**; die Länder
landen; das Flugzeug landet, das Flugzeug ist gelandet
lang; länger, am längsten; ein langer Tag
lange; es ist lange her
langsam; du sollst langsam fahren
langweilig; hier ist es furchtbar langweilig
der **Lappen**; die Lappen **(9)**
der **Lärm**
las siehe lesen
lassen; du läßt, er läßt, er ließ, er hat gelassen, lasse oder laß!
der **Lastwagen**; die Lastwagen **(24)**
die **Laterne**; die Laternen
die **Latte**; die Latten
der **Lattenzaun**; die Lattenzäune
das **Laub**

der Laubfrosch

der **Laubfrosch;** die Laubfrösche
die **Laubsäge;** die Laubsägen
der **Lauch (20)**
laufen; du läufst, er läuft, er lief, er ist nach Hause gelaufen, lauf!
der **Läufer;** die Läufer (1. Sportler; 2. Teppich)

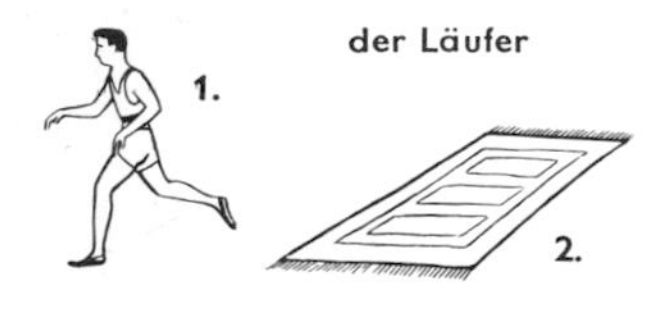

der Läufer

laut; hier ist es sehr laut
läuten; du läutest, er läutet, er läutete, er hat die Glocken geläutet, läute die Glocken!
lauter; es waren lauter Mädchen
der **Lautsprecher;** die Lautsprecher **(14)**
die **Lawine;** die Lawinen
leben; du lebst, er lebt, er lebte, er hat gelebt, lebe wohl!
das **Leben**
lebendig; der Fisch ist noch lebendig
die **Lebensmittel (19)**
das **Lebensmittelgeschäft;** die Lebensmittelgeschäfte **(19)**
der **Lebertran**
die **Leberwurst;** die Leberwürste
der **Lebkuchen;** die Lebkuchen **(25)**
lecken; du leckst, er leckt, er leckte, er hat geleckt, lecke nicht daran!

das **Leder**
die **Lederhose;** die Lederhosen
leer; etwas leer machen
legen; du legst, er legt, er legte, er hat das Buch auf den Tisch gelegt, lege das Buch auf den Tisch!
der **Lehm**
der **Lehrer;** die Lehrer **(9)**
die **Lehrerin;** die Lehrerinnen
der **Leib;** die Leiber
das **Leibchen;** die Leibchen
die **Leibschmerzen**
leicht; am leichtesten; Papier ist leicht
leichtsinnig; ein leichtsinniger Junge
leider; er ist leider krank
leihen; du leihst ihm ein Buch, er leiht ihm ein Buch, er lieh ihm ein Buch, er hat ihm ein Buch geliehen, leihe mir auch ein Buch!
der **Leim**
leimen; du leimst, er leimt, er leimte, er hat den Stuhl geleimt, leime den Stuhl!
der **Leimtopf;** die Leimtöpfe **(7)**
die **Leine;** die Leinen; er führt den Hund an der Leine
die **Leiter;** die Leitern **(2)**
die **Leitung;** die Leitungen **(14)**
lenken; du lenkst, er lenkt, er lenkte, er hatte den Schlitten gelenkt, lenke du den Schlitten!
der **Lenker;** die Lenker
die **Lenkstange;** die Lenkstangen **(6)**
Leonhard
der **Leopard;** des Leoparden, die Leoparden **(22)**
Leopold
die **Lerche;** die Lerchen
lernen; du lernst, er lernt, er lernte, er hat von dir nur Dummheiten gelernt
das **Lesebuch;** die Lesebücher
lesen; du liest, er liest, er las, er hat ein Buch gelesen, lies dieses Buch!
der **letzte;** die **letzte,** das **letzte;** er kam als letzter
das **letztemal;** das sag ich dir zum letztenmal!
leuchten; die Sterne leuchten, die Sterne haben hell geleuchtet

der **Leuchtturm;** die Leuchttürme **(26)**
die **Leute**
das **Licht;** die Lichter
lieb; er will lieb sein
die **Liebe**
lieben; du liebst, er liebt, er liebte, er hat seine Tante sehr geliebt; liebe deine Nachbarn!
liebhaben; du hast mich lieb, du sollst mich liebhaben
das **Lied;** die Lieder
lief siehe laufen
liefern; du lieferst, er liefert, er lieferte, er hat die Waren geliefert, liefere die Waren sofort!
die **Liege;** die Liegen **(12)**
liegen; du liegst, er liegt, er lag, er hat auf dem Sofa gelegen, liege nicht immer auf dem Sofa!
der **Liegestuhl;** die Liegestühle
lieh siehe leihen
lies! siehe lesen
lila; sie hat ein lila Kleid an
die **Lilie;** die Lilien
die **Limonade**
die **Linde;** die Linden

die Linde

das **Lineal;** die Lineale **(9)**
die **Linie;** die Linien
links; er ging von links nach rechts
die **Linse;** die Linsen; die **Linsensuppe**
die **Lippe;** die Lippen
das **Lob**
loben; du lobst ihn, er lobt ihn, er lobte ihn, er hat ihn sehr gelobt, lobe ihn!

das **Loch;** die Löcher
die **Locke;** die Locken
locken; du lockst, er lockt, er lockte, er hat den Hund mit einer Wurst gelockt, locke ihn!
locker; der Zahn ist locker
der **Löffel;** die Löffel (1. Ohren des Hasen; 2. Eßlöffel)

der Löffel

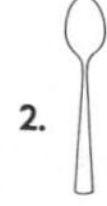

log siehe lügen
die **Lok;** die Loks; die **Lokomotive;** die Lokomotiven
der **Lokomotivführer;** die Lokomotivführer
los und **lose;** die Schraube ist los; er hat viel los
das **Löschblatt;** die Löschblätter
löschen; du löschst, er löscht, er löschte, er hat das Feuer gelöscht, lösche das Feuer!
losfahren; er fährt los, er ist losgefahren
losgehen; der Streit ging los, der Streit ist plötzlich losgegangen
loslassen; er läßt ihn los, er hat ihn losgelassen
Lothar
Lotte
der **Löwe;** die Löwen **(22)**
der **Löwenzahn**

der Löwenzahn

der **Luchs;** die Luchse
Ludwig
die **Luft**
der **Luftballon;** die Luftballone und die Luftballons **(8)**
die **Lüge;** die Lügen
lügen; du lügst, er lügt, er log, er hat gelogen, lüge nicht!
der **Lügner;** die Lügner
Luise
der **Lümmel;** die Lümmel
der **Lumpen;** die Lumpen
die **Lunge;** die Lungen
die **Lust;** ich habe keine Lust
lustig; es war gestern sehr lustig bei dir
Luxemburg

machen; du machst, er macht, er machte, er hat seine Aufgaben gemacht, mache deine Aufgaben ordentlich!
das **Mädchen;** die Mädchen
mag siehe mögen
Magdalene
der **Magen;** die Mägen und die Magen
mager; er ist sehr mager
mähen; du mähst, er mäht, er mähte, er hat die Wiese gemäht, mähe die Wiese!
mahlen; du mahlst, er mahlt, er mahlte, er hat den Kaffee gemahlen, mahle den Kaffee!
die **Mahlzeit;** die Mahlzeiten
die **Mähne;** die Mähnen **(17)**
der **Mai;** des Mai und des Maies oder des Mais
das **Maiglöckchen;** die Maiglöckchen **(20)**
der **Maikäfer;** die Maikäfer
der **Main**
mal; 8 mal 2 ist 16; komm mal her!
malen; du malst, er malt, er malte, er hat ein Bild gemalt, male ein Bild!
der **Maler;** die Maler

malnehmen; du nimmst mal, er nimmt mal, er nahm mal, er hat malgenommen
die **Mama;** die **Mami**
man; man kann nicht wissen, was passiert
manchmal; er ist manchmal böse
Manfred
der **Mann;** die Männer
der **Mantel;** die Mäntel **(12)**
die **Mappe;** die Mappen
das **Märchen;** die Märchen
das **Märchenbuch;** die Märchenbücher
der **Marder;** die Marder

der Marder

Marga
Margarete
die **Margarine**
die **Margerite;** die Margeriten
Maria (25)
die **Mark;** 10 Mark

der Maikäfer

der **Markt**; die Märkte **(20)**
der **Marktplatz**; die Marktplätze **(15)**
die **Marmelade**
marsch!; marsch, marsch!
der **Marsch**; die Märsche
marschieren; du marschierst, er marschiert, er marschierte, er ist bis nach Hause marschiert, marschiere!
Martha
Martin
der **März**; des März und des Märzes
das **Marzipan (25)**
die **Masche**; die Maschen
die **Maschine**; die Maschinen
die **Masern**
maß siehe messen
der **Mast**; die Maste und die Masten **(27)**
Mathilde
die **Matratze**; die Matratzen (1. Rahmen mit Federn; 2. Polster, auf dem man liegt)

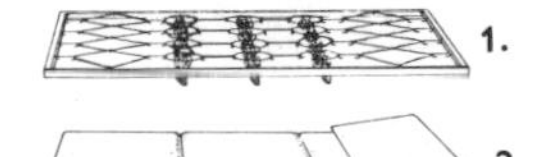

die Matratze

der **Matrose**; die Matrosen
matt; er ist müde und matt
die **Matte**; die Matten **(2)**
Matthias
die **Mauer**; die Mauern
das **Maul**; die Mäuler **(17)**
der **Maulesel**; die Maulesel
der **Maulwurf**; die Maulwürfe

der Maulwurf

der **Maurer**; die Maurer
die **Maus**; die Mäuse

die Maus

mäuschenstill; hier ist es mäuschenstill
Mechthild
meckern; die Ziege meckert, die Ziege hat gemeckert
das **Meer**; die Meere **(26)**
der **Meerrettich**; die Meerrettiche
das **Meerschweinchen**; die Meerschweinchen **(23)**
das **Mehl**
mehr; mehrere; er hat mehr Bücher als ich
mein; das ist mein Buch
meinen; du meinst, er meint, er meinte; er hat gemeint, du spieltest mit
die **Meise**; die Meisen

die Meise

der **Meißel**; die Meißel
meist; am meisten; die meisten Leute
meistens; er ist meistens zu Hause
melden; du meldest, er meldet, er meldete, er hat ihn gemeldet, melde

ihn!; sich melden; das Kind meldet sich, wenn es Hunger hat
melken; du melkst, er melkt, er melkte, er hat die Kuh gemolken oder gemelkt, melke die Kuh!
die **Melodie;** die Melodien
die **Menge;** eine johlende, schreiende Menge
der **Mensch;** des Menschen, die Menschen
merken; du merkst es, er merkt es, er merkte es, er hat es gemerkt, merke es!
merkwürdig; du bist merkwürdig still
die **Messe;** eine Messe lesen
messen; du mißt, er mißt, er maß, er hat die Breite des Zimmers gemessen, miß die Länge des Stoffes!
das **Messer;** die Messer **(1)**
das **Meter;** auch: der **Meter;** die Meter; das Zimmer ist 3 Meter breit
der **Metzger;** die Metzger; die **Metzgerei (15)**
miauen; die Katze miaut, miaute, hat miaut
mich; er schimpft mich
Michael
das **Mikroskop;** die Mikroskope **(12)**
die **Milch (19)**
die **Milchflasche;** die Milchflaschen **(1)**
die **Milchkanne;** die Milchkannen **(16)**
die **Million;** die Millionen
mindestens; er ist mindestens so alt wie du
die **Minute;** die Minuten
mir; er hilft mir
die **Mirabelle;** die Mirabellen
mischen; du mischst, er mischt, er mischte, er hat die Karten gemischt, mische die Karten!
miß!, mißt siehe messen
der **Mist**
die **Mistgabel;** die Mistgabeln **(16)**
der **Misthaufen;** die Misthaufen **(16)**
mit; mit dem Hut in der Hand
mitbringen; er bringt mir etwas mit, er hat mir etwas mitgebracht
mitfahren; er fährt mit, er ist mitgefahren
mitgehen; er geht mit, er ist mitgegangen
mitkommen; er kommt mit, er ist mitgekommen
mitmachen; er macht mit, er hat mitgemacht
mitnehmen; er nimmt sein Frühstück mit, er hat sein Frühstück mitgenommen
mitspielen; er spielt mit, er hat mitgespielt
der **Mittag;** zu Mittag essen
das **Mittagessen;** die Mittagessen
mittags; mittags kommt er zum Essen nach Hause
die **Mitte**
mitten; mitten drin
der **Mittwoch; mittwochs;** mittwochs gehen wir baden
die **Möbel**
mochte siehe mögen
modern; kurze Röcke sind heute modern
mogeln; du mogelst, er mogelt, er mogelte, er hat gemogelt, mogele nicht!
mögen; du magst, er mag, er mochte, er hat es gemocht
möglich; das ist möglich
der **Mohn (18)**
der **Mohr;** des Mohren, die Mohren

der Mohr

die **Möhre;** die Möhren **(20)**
die **Mohrrübe;** die Mohrrüben **(20)**
der **Molch;** die Molche
die **Molkerei;** die Molkereien

mollig; hier ist es mollig warm
der **Monat**; die Monate
der **Mönch**; die Mönche
der **Mond**; die Monde **(13)**
Monika
der **Montag; montags**; montags habe ich Klavierstunde
das **Moor**; die Moore

das Moor

das **Moos**; die Moose
das **Moped**; die Mopeds
der **Mops**; die Möpse
morgen; morgen abend
der **Morgen; morgens**; er steht morgens früh auf
morsch; das Holz ist morsch
die **Mosel**
der **Motor**; die Motoren
das **Motorrad**; die Motorräder **(6)**
die **Motte**; die Motten
die **Möwe**; die Möwen **(26)**
die **Mücke**; die Mücken
müde; ich bin so müde
die **Mühle**; die Mühlen (1. Getreidemühle; 2. Brettspiel)

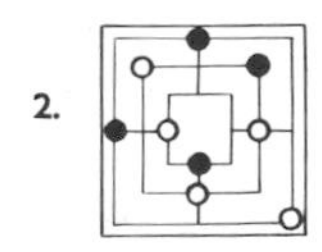

die Mühle

der **Mülleimer**; die Mülleimer **(1)**
der **Müller**; die Müller
der **Mund**; die Münder

die **Mündung**; die Mündungen
munter; er ist ganz munter
das **Mus**
die **Muschel**; die Muscheln **(26)**
die **Musik**
der **Muskel**; die Muskeln
müssen; du mußt, er muß, er mußte, er hat nach Hause gemußt; aber: er hat kommen müssen
der **Mut**
mutig; ein mutiger Junge

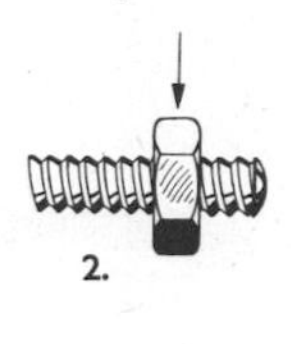

die Mutter

die **Mutter**; die Mütter (1.) und die **Mutter**; die Muttern (2.)
die **Mütze**; die Mützen **(28)**

N

der **Nabel**; die Nabel
nach; er geht nach Hause
der **Nachbar**; des Nachbarn, die Nachbarn **(4)**
nachdenken; er denkt nach, er hat nachgedacht
nacheinander; ihr kommt nacheinander an die Reihe
nachgeben; er gibt nach, er hat endlich nachgegeben
nachgehen; die Uhr geht nach, die Uhr ist nachgegangen
nachher; ich sage dir das nachher
nachlaufen; er läuft ihm nach, er ist ihm nachgelaufen
nachmachen; er macht mir alles nach, er hat mir alles nachgemacht
der **Nachmittag; nachmittags**; nachmittags haben wir schulfrei
nachrennen; er rennt ihm nach, er ist ihm nachgerannt

die **Nachricht;** die Nachrichten
nachsitzen; er sitzt nach, er hat nachgesessen
nächst; nächstes Jahr; das nächste Mal
die **Nacht;** die Nächte
das **Nachthemd;** die Nachthemden **(5)**
die **Nachtigall;** die Nachtigallen

die Nachtigall

der **Nachtisch**
das **Nachtschränkchen;** die Nachtschränkchen **(2)**
nackt; er ist ganz nackt
die **Nadel;** die Nadeln **(3)**
der **Nagel;** die Nägel (1. Stift zum Befestigen; 2. Fingernagel)

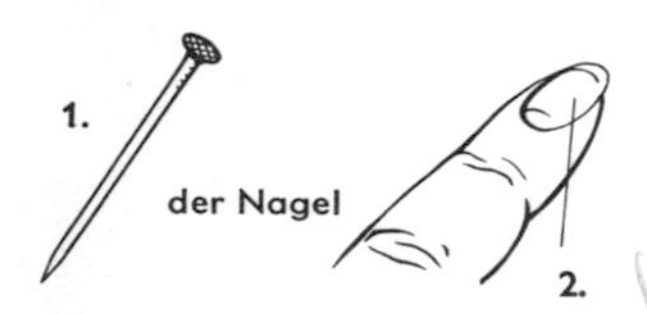

der Nagel

nagen; die Maus nagt, nagte, hat genagt
nah und **nahe;** näher; der Wald ist ganz nah
nähen; du nähst, sie näht, sie nähte, sie hat das Kleid genäht, nähe das Kleid!
der **Nähkasten;** die Nähkästen **(3)**
nahm siehe nehmen
die **Nähmaschine;** die Nähmaschinen
der **Name;** des Namens, die Namen
nämlich; ich komme sehr früh, ich fahre nämlich mit dem Zug
nannte siehe nennen
der **Narr;** die Narren
die **Narzisse;** die Narzissen **(20)**
naschen; du naschst, er nascht, er naschte, er hat genascht, nasche nicht!
die **Nase;** die Nasen
die **Nasenspitze;** die Nasenspitzen
das **Nashorn;** die Nashörner **(22)**
naß; nässer und nasser, am nässesten und am nassesten; nasse Kleider
natürlich; hast du die Aufgaben gemacht? Natürlich!
der **Nebel;** die Nebel
neben; neben dem Haus stehen Bäume, aber: ich stelle den Wagen neben das Haus
neblig; es ist sehr neblig
der **Neckar**
der **Neffe;** die Neffen
der **Neger;** die Neger
nehmen; du nimmst, er nimmt, er nahm, er hat das Geld genommen, nimm es!
neidisch; sie ist sehr neidisch auf mich
nein; er sagte nein
die **Nelke;** die Nelken **(20)**
nennen; du nennst, er nennt, er nannte, er hat ihn Peter genannt, nenne deinen Namen!
nervös; er ist sehr nervös
das **Nest;** die Nester

das Nest

nett; am nettesten; sie ist sehr nett
das **Netz;** die Netze **(11)**

neu; ein neuer Mantel
neugierig; sei doch nicht so neugierig!
neulich; neulich waren wir in Frankfurt
neun; der neunte Mai
neunhundert
neunjährig; ein neunjähriger Junge
neunmal; er hat neunmal gewürfelt; aber: neun mal zwei (in Ziffern: 9 mal 2) ist achtzehn (18)
neuntausend
neuntens
neunzehn
neunzig
nicht; nicht wahr
die **Nichte;** die Nichten
nichts; nichts Neues
nicken; du nickst, er nickt, er nickte, er hat mit dem Kopf genickt, nicke nicht immer mit dem Kopf!
nie; nie mehr; nie wieder
niedlich; ein niedliches Mädchen
niedrig; ein niedriges Haus
niemals; das werde ich niemals tun
niemand; niemand hat mich besucht
niesen; du niest, er niest, er nieste, er hat geniest, niese nicht so laut!
der **Nikolaus**
das **Nilpferd;** die Nilpferde **(22)**
nimm, nimmt siehe nehmen
nirgends; er ist nirgends zu finden
noch; noch einmal; noch nicht
Norbert
der **Norden**
nördlich
Norwegen
die **Not;** er ist in Not
die **Note;** er hat die Note „gut“ erhalten
nötig; das ist nicht nötig
der **November;** des November und des Novembers
Nu; im Nu
die **Nudel;** die Nudeln
die **Nudelsuppe**
null; er hatte null Fehler
die **Null;** eine Zahl mit fünf Nullen
die **Nummer;** die Nummern **(10)**
das **Nummernschild;** die Nummernschilder **(6)**
nun; von nun an
nur; man hört von ihm nur Gutes
die **Nuß;** die Nüsse
der **Nußknacker;** die Nußknacker
die **Nüstern (17)**
nützen oder **nutzen;** das nützt oder nutzt mir nichts

O

o jah!; o nein!; o weh!
ob; es ist ungewiß, ob er kommt
die **Obacht;** gib Obacht!
oben; oben auf dem Schrank
oberste; die oberste Stufe
das **Obst (19)**
der **Obstbaum;** die Obstbäume **(4)**
der **Ochse;** die Ochsen **(25)**
der **Odenwald**
oder; entweder - oder
die **Oder**
der **Ofen;** die Öfen
offen; er schläft bei offenem Fenster
öffnen; du öffnest, er öffnet, er öffnete, er hat die Tür geöffnet, öffne die Tür!
oft; öfter; er war oft im Schwimmbad
oh!; oh, oh!
ohne; er geht gern ohne Mütze
ohnmächtig; er lag ohnmächtig auf dem Boden
das **Ohr;** die Ohren **(17)**
die **Ohrfeige;** die Ohrfeigen
der **Ohrring;** die Ohrringe
der **Oktober;** des Oktober und des Oktobers
das **Öl (19)**
Olga
die **Oma**
der **Omnibus;** des Omnibusses, die Omnibusse **(24)**

der **Onkel**; die Onkel

der **Opa**

operieren; er ist operiert worden

orange; die Farbe ist orange

die **Orange** (die Apfelsine); die Orangen

der **Orang-Utan**; die Orang-Utans

der Orang-Utan

ordentlich; er ist ein ordentlicher Mensch

ordnen; du ordnest, er ordnet, er ordnete, er hat seine Bücher geordnet, ordne sie!

die **Ordnung**; Ordnung halten

die **Orgel**; die Orgeln

die Orgel

Oskar

der **Osten**

das **Osterei**; die Ostereier

das **Osterfest**

der **Osterhase**; die Osterhasen

Ostern

Österreich

östlich

Otfried

Ottilie

Otto

der **Ozean**; die Ozeane

P

paar; ein paar Kirschen

das **Paar**; ein Paar Schuhe; das Pärchen

das **Päckchen**; die Päckchen **(7)**

packen; du packst, er packt, er hat den Koffer gepackt, packe den Koffer!

das **Paddelboot**; die Paddelboote

paddeln; du paddelst, er paddelt, er paddelte, er hat zwei Stunden gepaddelt, a b e r: er ist an das andere Ufer gepaddelt, paddle langsamer!

paff!; piff, paff!; piff, paff, puff!

das **Paket**; die Pakete **(7)**

der **Palast**; die Paläste

die **Palme**; die Palmen

die Palme

die **Panne**; die Pannen; unterwegs hatten wir eine Panne

der Panther

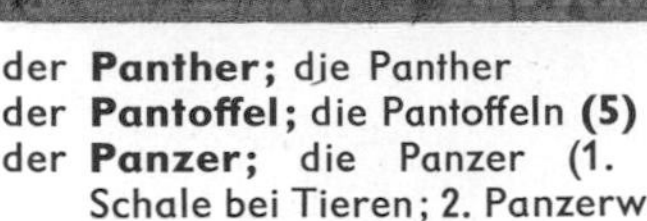

der **Panther;** die Panther
der **Pantoffel;** die Pantoffeln **(5)**
der **Panzer;** die Panzer (1. harte Schale bei Tieren; 2. Panzerwagen; 3. Ritterrüstung)

der Panzer

der **Papa**
der **Papagei;** des Papageis und des Papageien; die Papageie und die Papageien **(23)**
der **Papi**
das **Papier (3)**
der **Papierkorb;** die Papierkörbe **(12)**
der **Pappdeckel;** die Pappdeckel
die **Pappe;** die Pappen
die **Pappel;** die Pappeln

die Pappel

der **Papst;** die Päpste
das **Pärchen;** die Pärchen (Verkleinerungsform von Paar)
der **Park;** die Parks

parken; du parkst, er parkt, er parkte, er hat am Rathaus geparkt, parke bitte weiter oben!
der **Parkplatz;** die Parkplätze **(6)**
die **Parkuhr;** die Parkuhren **(6)**
der **Paß;** des Passes, die Pässe (1. Ausweis; 2. Bergübergang)

der Paß

passen; der Schuh paßt, der Schuh paßte, der Schuh hat gepaßt
passieren; ein Unglück passiert, passierte, ist passiert
der **Pastor;** die Pastoren
der **Pate;** die Paten
die **Patentante;** die Patentanten
der **Patenonkel;** die Patenonkel
der **Patient;** die Patienten **(12)**
patsch!; pitsch, patsch!
patschnaß; er ist patschnaß
die **Pauke;** die Pauken

die Pauke

Paul
Paula
die **Pause;** die Pausen
das **Pech;** er hatte Pech
das **Pedal;** die Pedale
die **Peitsche;** die Peitschen
die **Pellkartoffel;** die Pellkartoffeln
der **Pelz;** die Pelze
die **Perle;** die Perlen
die **Person;** die Personen
Peter

die **Petersilie**
petzen; du petzt, er petzt, er petzte, er hat gepetzt, petze nicht!
der **Pfahl;** die Pfähle **(18)**
das **Pfand;** die Pfänder
die **Pfanne;** die Pfannen
der **Pfannkuchen;** die Pfannkuchen
der **Pfarrer;** die Pfarrer
der **Pfau;** die Pfauen **(22)**
der **Pfeffer**
das **Pfefferminz;** die Pfefferminze
die **Pfeife;** die Pfeifen (1. Trillerpfeife; 2. Tabakspfeife; 3. Orgelpfeife)

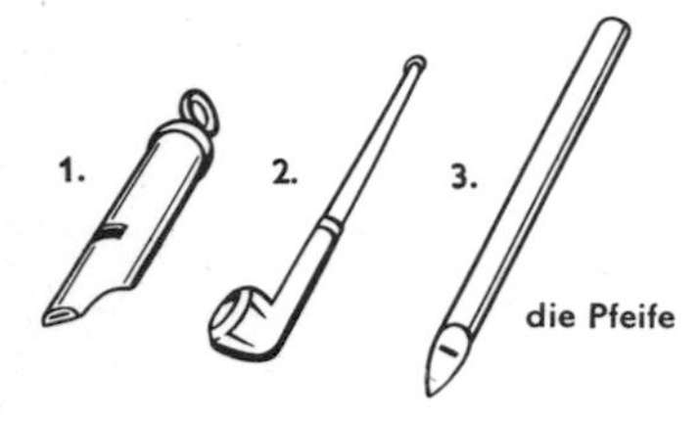

die Pfeife

pfeifen; du pfeifst, er pfeift, er pfiff, er hat gepfiffen, pfeife nicht!
der **Pfeil;** die Pfeile
der **Pfennig;** die Pfennige; 5 Pfennig
das **Pferd;** die Pferde (1. Tier; 2. Turngerät)

das Pferd

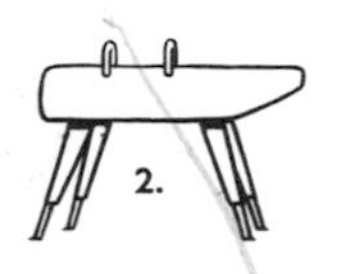

pfiff siehe pfeifen
der **Pfiff;** die Pfiffe
der **Pfifferling;** die Pfifferlinge
Pfingsten
der **Pfirsich;** die Pfirsiche **(20)**
die **Pflanze;** die Pflanzen
pflanzen; du pflanzt einen Baum, er pflanzt einen Baum, er pflanzte einen Baum; er hat einen Baum gepflanzt, pflanze einen Baum!

das Pflaster

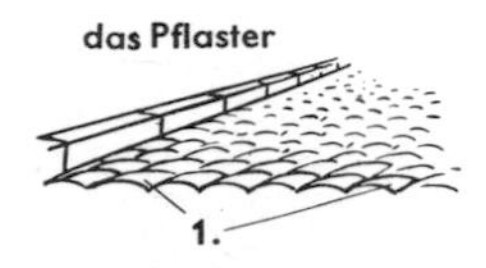

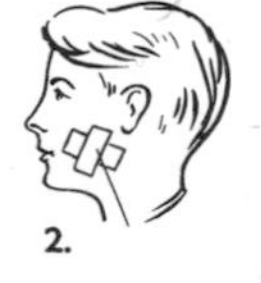

das **Pflaster;** die Pflaster (1. Straßenpflaster; 2. kleiner Wundverband)
die **Pflaume;** die Pflaumen

die Pflaume

pflegen; du pflegst, sie pflegt, sie pflegte, sie hat ihre kranke Mutter gepflegt, pflege sie!
die **Pflicht;** die Pflichten
der **Pflock;** die Pflöcke
pflücken; du pflückst, er pflückt, er pflückte, er hat Äpfel gepflückt, pflücke die Äpfel!
der **Pflug;** die Pflüge
pflügen; du pflügst, er pflügt, er pflügte, er hat den Acker gepflügt, pflüge den Acker!
die **Pfote;** die Pfoten **(23)**
das **Pfund;** die Pfunde; 3 Pfund Mehl
die **Pfütze;** die Pfützen
Philipp
der **Photograph** siehe Fotograf
picken; das Huhn pickt, das Huhn pickte, das Huhn hat die Körner gepickt
pieken; du piekst mich, er piekt mich, er piekte mich, er hat mich gepiekt, pieke mich nicht!
piepsen; das Küken piepst, das Küken piepste, das Küken hat laut gepiepst
piesacken; du piesackst ihn, er piesackt ihn, er piesackte ihn, er hat ihn gepiesackt, piesacke ihn nicht!
die **Pille;** die Pillen

der Pilz

der **Pilz;** die Pilze
der **Pinguin;** die Pinguine

der Pinguin

der **Pinsel;** die Pinsel **(7)**
die **Pinzette;** die Pinzetten **(12)**
die **Pistole;** die Pistolen
pitschnaß; er ist pitschnaß
sich **plagen;** du plagst dich, er plagt sich, er plagte sich, er hat sich bei dieser Arbeit sehr geplagt, plage dich nicht so sehr!
das **Plakat;** die Plakate **(15)**
das **Planschbecken;** die Planschbecken **(11)**
planschen; du planschst, er planscht, er planschte, er hat in der Badewanne geplanscht, plansche nicht!
platt; am plattesten; er hat eine platte Nase
der **Plattenspieler;** die Plattenspieler **(3)**
der **Platz;** die Plätze; Platz machen
das **Plätzchen;** die Plätzchen
platzen; der Luftballon platzt, er platzte, er ist geplatzt
plötzlich; plötzlich stand er vor mir
plumps!
die **Polizei (15)**
das **Polizeiauto;** die Polizeiautos **(24)**
der **Polizist;** des Polizisten, die Polizisten **(24)**
das **Polster;** die Polster
poltern; du polterst, er poltert, er polterte, er hat gepoltert, poltere nicht!
das **Pony;** die Ponys **(22)**
der **Porree (20)**
Portugal
die **Post (7)**
die **Postkarte;** die Postkarten
prahlen; du prahlst, er prahlt, er prahlte, er hat mit seinen guten Noten geprahlt, prahle nicht!
praktisch; das ist wirklich praktisch
die **Praline;** die Pralinen
prasseln; das Feuer prasselt, das Feuer prasselte, das Feuer hat geprasselt, aber: der Regen ist gegen das Fenster geprasselt
die **Predigt;** die Predigten
der **Preis;** die Preise
die **Preiselbeere;** die Preiselbeeren
pressen; du preßt, er preßt, er preßte, er hat die Trauben gepreßt, presse die Trauben!
der **Priester;** die Priester
prima; das ist ganz prima
der **Prinz;** des Prinzen, die Prinzen
die **Prinzessin;** die Prinzessinnen
probieren; du probierst, er probiert, er probierte, er hat einmal probiert, probiere doch auch einmal!
die **Prozession;** die Prozessionen
prüfen; du prüfst ihn, er prüft ihn,

er prüfte ihn, er hat ihn geprüft, prüfe ihn!

die **Prügel;** er hat eine ordentliche Tracht Prügel bezogen

pst!

der **Pudding;** die Puddinge und die Puddings

der **Pudel;** die Pudel **(23)**

pudelnaß; er ist pudelnaß

der **Puffer;** die Puffer **(14)**

der **Pullover;** die Pullover

der **Puls;** die Pulse

das **Pulver**

die **Pumpe;** die Pumpen

pumpen; du pumpst, er pumpt, er pumpte, er hat einen Eimer voll Wasser gepumpt, pumpe diesen Eimer voll Wasser!

der **Punkt;** die Punkte; es ist Punkt 8 Uhr

pünktlich; du mußt pünktlich sein

die **Puppe;** die Puppen **(2)**

die **Puppenstube;** die Puppenstuben **(2)**

der **Puppenwagen;** die Puppenwagen **(2)**

der **Purzelbaum;** die Purzelbäume

purzeln; du purzelst, er purzelt, er purzelte, er ist in den Graben gepurzelt, purzle nicht in den Graben!

pusten; du pustest, er pustet, er pustete, er hat gepustet, puste nicht!

putzen; du putzt, er putzt, er putzte, er hat die Schuhe geputzt, putze deine Schuhe!

Q

quaken; der Frosch quakt, der Frosch quakte, der Frosch hat gequakt

quälen; du quälst ihn, er quält ihn, er quälte ihn, er hat ihn gequält, quäle ihn nicht!

die **Qualle;** die Quallen

der **Qualm**

qualmen; der Schornstein qualmt, der Schornstein qualmte, der Schornstein hat gequalmt

der **Quark (19)**

quatsch!

der **Quatsch;** das ist ja Quatsch!

die **Quelle;** die Quellen

die Quelle

quer; er fuhr kreuz und quer

sich **quetschen;** du quetschst dich, er quetscht sich, er quetschte sich, er hat sich die Finger gequetscht, quetsche dir nicht die Finger!

quieken; das Schwein quiekt, das Schwein quiekte, das Schwein hat gequiekt

quietschen; die Tür quietscht, die Tür quietschte, die Tür hat gequietscht

quitt; jetzt sind wir quitt!

R

der **Rabe;** die Raben

der Rabe

das Rad

das **Rad;** die Räder (1. Wagenrad; 2. Fahrrad)
radfahren; du fährst Rad, er fährt Rad, er ist radgefahren, fahre Rad!
der **Radfahrer;** die Radfahrer **(6)**
radieren; du radierst, er radiert, er radierte, er hat den Flecken aus dem Heft radiert, radiere!
der **Radiergummi;** die Radiergummis **(3)**
das **Radieschen;** die Radieschen **(20)**
das **Radio;** die Radios **(3)**
der **Rahm**
die **Rakete;** die Raketen **(13)**
der **Rand;** die Ränder **(11)**
rang siehe ringen
rangieren; du rangierst, er rangiert, er rangierte, er hat die Wagen auf ein anderes Gleis rangiert, rangiere sie!
rann siehe rinnen
rannte siehe rennen
der **Ranzen;** die Ranzen **(9)**
ranzig; die Butter ist ranzig
rasch; am raschesten; rasche Hilfe ist hier notwendig
rascheln; die Mäuse rascheln, sie raschelten, sie haben im Stroh geraschelt
rasen; du rast, er rast, er raste, er ist mit seinem neuen Fahrrad um die Ecke gerast, rase nicht so!

die Ratte

der **Rasen (4)**
sich **rasieren;** der Vater rasiert sich, der Vater rasierte sich, der Vater hat sich rasiert, rasiere dich!
raten; du rätst, er rät, er riet, er hat es geraten, rate einmal!
das **Rathaus;** die Rathäuser **(15)**
das **Rätsel;** die Rätsel
die **Ratte;** die Ratten
rattern; der Wagen rattert, der Wagen ratterte, der Wagen ist über das Pflaster gerattert
der **Räuber;** die Räuber
das **Raubtier;** die Raubtiere

das Raubtier

der **Rauch (27)**
rauchen; du rauchst, er raucht, er rauchte, er hat eine Zigarette geraucht, rauche nicht!

die Raupe

rauh; das Brett ist rauh
der **Rauhhaardackel**; die Rauhhaardackel
der **Raum**; die Räume
die **Raupe**; die Raupen (Bild S. 123)
rauschen; der Regen rauscht, der Regen rauschte, der Regen hat gerauscht
die **Rebe**; die Reben

die Rebe

das **Rebhuhn**; die Rebhühner
der **Rechen**; die Rechen
das **Rechenbuch**; die Rechenbücher
rechnen; du rechnest, er rechnet, er rechnete, er hat richtig gerechnet, rechne richtig!
die **Rechnung**; die Rechnungen
recht; das ist mir recht; jetzt erst recht
das **Recht**; die Rechte; er ist im Recht

das Reck

rechts; er ging von rechts nach links
die **Rechtschreibung**
rechtzeitig; sei rechtzeitig zu Hause
das **Reck**; die Recke
sich **recken**; du reckst dich, er reckt sich, er reckte sich, er hat sich gereckt, recke dich nicht dauernd!
die **Rede**; die Reden
reden; du redest, er redet, er redete, er hat dauernd geredet, rede nicht soviel!
das **Regal**; die Regale **(19)**
regelmäßig; er kommt regelmäßig zu spät
der **Regen**
der **Regenbogen**; die Regenbogen

der Regenbogen

der **Regenwurm**; die Regenwürmer

der Regenwurm

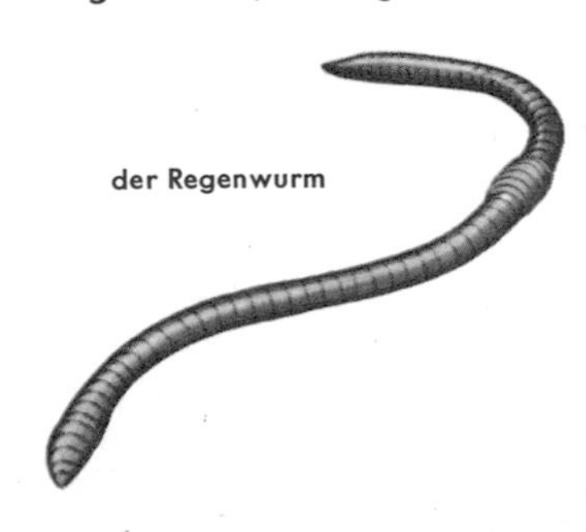

regnen; es regnet, es regnete, es hat den ganzen Tag geregnet

das **Reh**; die Rehe

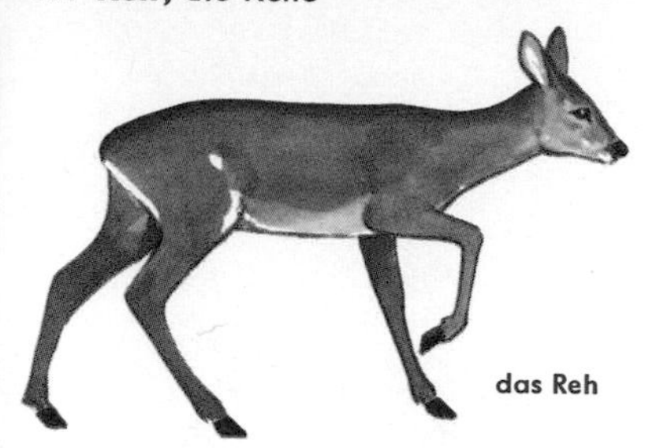

das Reh

der **Rehbock**; die Rehböcke

reiben; du reibst, sie reibt, sie rieb, sie hat Kartoffeln gerieben, reibe Kartoffeln!

reich; er ist sehr reich

reichen; du reichst, er reicht, er reichte, er hat mir die Schüssel gereicht, reiche mir bitte den Salat!

der **Reichtum**; die Reichtümer

reif; die Äpfel sind reif

der **Reifen**; die Reifen (1. Spielreifen; 2. Radreifen)

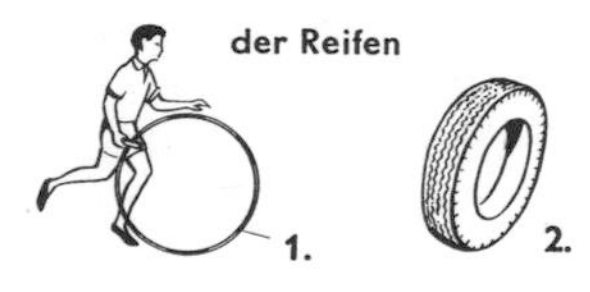

der Reifen

die **Reihe**; die Reihen; er ist an der Reihe

Reinecke Fuchs

reinfahren; fahr doch rein!; er ist reingefahren

reingehen; geh doch rein!; er ist reingegangen

Reinhard

Reinhold

reinkommen; komm doch rein!; er ist reingekommen

der **Reis**

die **Reise**; die Reisen

reisen; du reist, er reist, er reiste, er ist nach Frankfurt gereist, reise mit der Bahn!

reißen; du reißt, er reißt, er riß, er hat mir die Schürze vom Leib gerissen, reiße dir an dem Draht nicht die Finger blutig!

der **Reißverschluß**; die Reißverschlüsse

reiten; du reitest, er reitet, er ritt, er ist über die Wiesen geritten, aber: er hat einen Schimmel geritten, reite vorsichtig!

der **Reiter**; die Reiter

reizen; du reizt ihn, er reizt ihn; er reizte ihn, er hat ihn gereizt, reize ihn nicht!

reizend; ein reizendes Mädchen

die **Religion**; die Religionen

Renate

rennen; du rennst, er rennt, er rannte, er ist über den Hof gerannt, renne den Weg hinunter!

der **Rennwagen**; die Rennwagen

reparieren; du reparierst, er repariert, er reparierte, er hat meinen Roller repariert, repariere ihn!

der **Rest**; die Reste

retten; du rettest ihn, er rettet ihn, er rettete ihn, er hat ihn gerettet, rette ihn!

der **Rettich**; die Rettiche

der Rettich

die **Rettung**

das **Rettungsboot**; die Rettungsboote **(27)**

der **Rettungsring**; die Rettungsringe **(11)**

der Rhabarber

der **Rhabarber**
der **Rhein**
die **Rhön**
Richard
richtig; das ist richtig
die **Richtung;** die Richtungen
rieb siehe reiben
riechen; du riechst, er riecht, er roch, er hat die faulen Äpfel gerochen, rieche einmal daran!
rief siehe rufen
der **Riegel;** die Riegel
der **Riemen;** die Riemen
der **Riese;** die Riesen
das **Riesenrad;** die Riesenräder **(8)**
riet siehe raten
das **Rind;** die Rinder
die **Rinde;** die Rinden
der **Ring;** die Ringe (1. Fingerring; 2. Boxring)

der Ring

ringen; du ringst, er ringt, er rang, er hat mit ihm gerungen, ringe mit ihm!
der **Ringkampf;** die Ringkämpfe
die **Rinne;** die Rinnen

die **Rippe;** die Rippen (1. Rippenknochen; 2. Blattrippe)

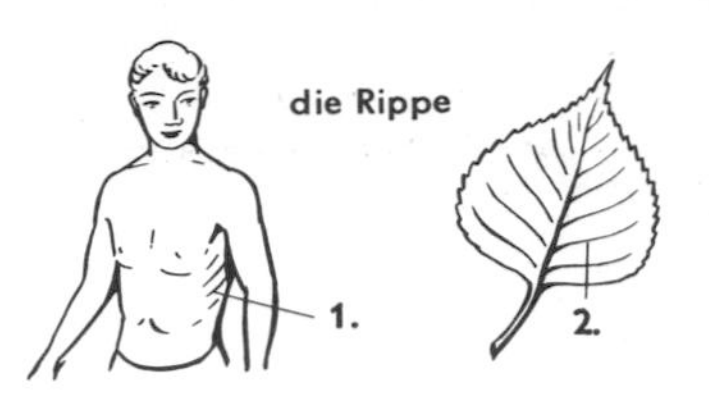

die Rippe

riß siehe reißen
der **Riß;** des Risses, die Risse
ritt siehe reiten
roch siehe riechen
der **Rock;** die Röcke (1. Damenrock; 2. Herrenjacke)

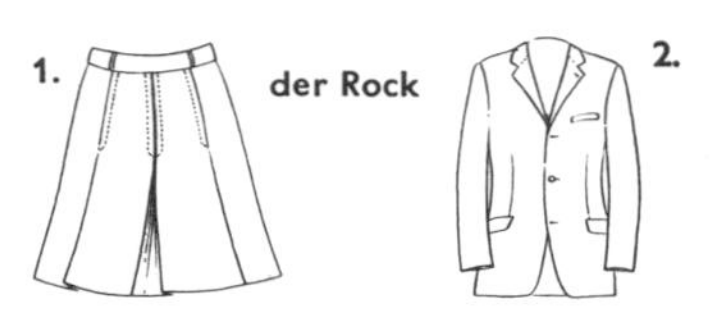

der Rock

rodeln; du rodelst, er rodelt, er rodelte, er hat den ganzen Nachmittag gerodelt, rodele noch ein bißchen!
der **Roggen**

der Roggen

das **Rohr;** die Rohre
die **Röhre;** die Röhren

Roland
Rolf
rollen; du rollst, er rollt, er rollte; er hat das Faß in den Keller gerollt, aber: der Ball ist ins Tor gerollt; rolle das Faß in den Keller!
der **Roller;** die Roller
der **Rollschuh;** die Rollschuhe
rosa; ein rosa Kleid; rosarot
die **Rose;** die Rosen **(3)**
die **Rosine;** die Rosinen
der **Rost;** du hast Rost an der Stoßstange
der **Rost;** die Roste; er hat Würstchen auf dem Rost gebraten **(8)**
rosten; das Schutzblech rostet
rostig; der Nagel ist rostig
Roswitha
rot; röter, am rötesten; sie hat rote Backen
das **Rotkäppchen**
das **Rotkehlchen;** die Rotkehlchen

das Rotkehlchen

der **Rotkohl (20)**
das **Rotkraut (20)**
die **Rübe;** die Rüben
rübergehen; geh doch einmal rüber!, er ist rübergegangen
rüberlaufen; lauf doch einmal rüber!; er ist rübergelaufen
Rübezahl
ruck!; hau ruck!
rücken; du rückst, er rückt, er rückte, er ist zur Seite gerückt, rücke noch ein wenig!, aber: er hat den Schrank in die Ecke gerückt
der **Rücken;** die Rücken **(10)**
das **Rücklicht;** die Rücklichter **(6)**

der **Rucksack;** die Rucksäcke
die **Rücksicht;** Rücksicht nehmen
der **Rücktritt;** die Rücktritte
rückwärts; vorwärts und rückwärts
das **Ruder;** die Ruder (1. Bootsruder; 2. Schiffsruder)

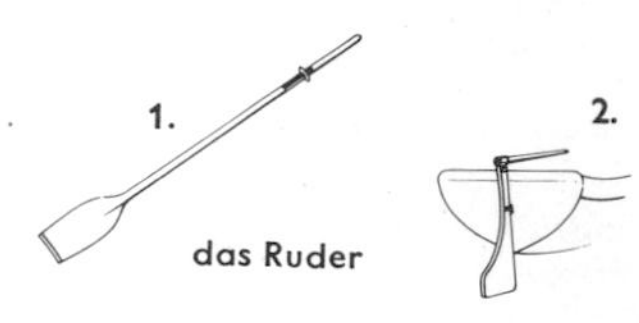

das Ruder

rudern; du ruderst, er rudert, er ruderte, er hat zwei Stunden gerudert, aber: er ist über den See gerudert; rudere an das andere Ufer!
Rüdiger
Rudolf
rufen; du rufst ihn, er ruft ihn, er rief ihn, er hat ihn gerufen, rufe ihn!
die **Ruhe**
ruhig; sei doch ruhig!
die **Ruhr**
rühren; du rührst, er rührt, er rührte, er hat den Teig gerührt, rühre den Teig!
rumgehen; er geht eben um die Ecke rum
der **Rummelplatz;** die Rummelplätze **(8)**

die Rübe

Rumpelstilzchen
rund; runder, am rundesten; der Ball ist rund
rundherum; rundherum standen Blumen
runterfahren; er ist mit dem Roller die Straße runtergefahren
runterkommen; er soll runterkommen!
runterspringen; er ist von der Leiter runtergesprungen
Ruprecht
der **Ruß**
der **Rüssel;** die Rüssel
Rußland
die **Rutschbahn;** die Rutschbahnen **(11)**
rutschen; du rutschst, er rutscht, er rutschte, er ist von der Bank gerutscht, rutsche nicht durchs Zimmer!
rütteln; du rüttelst, er rüttelt, er rüttelte, er hat an der Tür gerüttelt, rüttele nicht an der Tür!

S

der **Saal;** die Säle
der **Säbel;** die Säbel
die **Sache;** die Sachen
der **Sack;** die Säcke, a b e r: 5 Sack Mehl **(19)**
säen; du säst, er sät, er säte, er hat den Weizen gesät, säe den Weizen!
der **Saft;** die Säfte **(19)**
saftig; die Birne ist saftig
die **Sage;** die Sagen
die **Säge;** die Sägen
sagen; du sagst, er sagt, er sagte, er hat etwas gesagt, sage etwas!
sägen; du sägst, er sägt, er sägte, er hat Holz gesägt, säge dieses Holz!
sah siehe sehen
die **Sahne**
die **Saite;** die Saiten; er spannte neue Saiten auf seine Geige

der Salamander

der **Salamander;** die Salamander
der **Salat;** die Salate **(1)**
die **Salbe;** die Salben
das **Salz**
salzen; du salzt, er salzt, er salzte, er hat die Suppe stark gesalzen oder gesalzt, salze die Suppe noch ein wenig!
salzig; die Suppe ist salzig
der **Samen;** die Samen
sammeln; du sammelst, er sammelt, er sammelte, er hat für das Rote Kreuz gesammelt, sammele für diesen guten Zweck!
der **Samstag; samstags;** samstags fahren wir in unser Wochenendhaus
der **Samt**
der **Sand (11)**
die **Sandale;** die Sandalen
der **Sandkasten;** die Sandkästen **(11)**
sandte siehe senden
sanft; am sanftesten; ein sanftes Kind
sang siehe singen
der **Sänger;** die Sänger
sank siehe sinken
der **Sarg;** die Särge
saß siehe sitzen
satt; satter, am sattesten; sich satt essen
der **Sattel;** die Sättel (1. Reitsattel; 2. Fahrradsattel)

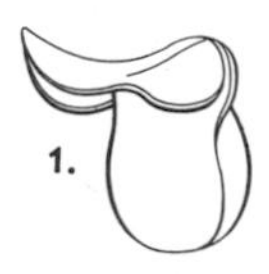

der Sattel

der **Sattler;** die Sattler
der **Satz;** die Sätze
die **Sau;** die Säue (1. Hausschwein; 2. Wildschwein)
sauber; das Zimmer ist sauber
saubermachen; die Mutter macht das Zimmer sauber, die Mutter hat das Zimmer saubergemacht
sauer; Gurken sind sauer
das **Sauerkraut**
saufen; das Pferd säuft, das Pferd soff, das Pferd hat einen Eimer voll Wasser leer gesoffen
die **Säule;** die Säulen
sausen; du saust, er saust, er sauste, er ist mit seinem Fahrrad um die Ecke gesaust, sause nicht so!
schaben; du schabst, sie schabt, sie schabte, sie hat Möhren geschabt, schabe die Möhren!
das **Schach;** Schach spielen
die **Schachtel;** die Schachteln; das **Schächtelchen**
schade; das ist sehr schade
der **Schädel;** die Schädel
der **Schaden;** die Schäden
das **Schaf;** die Schafe; das **Schäfchen**

das Schaf

der **Schäfer;** die Schäfer
der **Schäferhund;** die Schäferhunde
schaffen; du schaffst, er schafft, er schaffte, er hat den ganzen Tag geschafft, schaffe nicht soviel!
der **Schaffner;** die Schaffner **(6)**
die **Schaffnerin;** die Schaffnerinnen
die **Schafherde;** die Schafherden
der **Schal;** die Schale und die Schals
die **Schale;** die Schalen
schälen; du schälst die Kartoffeln, sie schält die Kartoffeln, sie schälte die Kartoffeln, sie hat die Kartoffeln geschält, schäle die Kartoffeln!
die **Schallplatte;** die Schallplatten **(3)**
schalten; du schaltest, er schaltet, er schaltete, er hat geschaltet, schalte in den zweiten Gang!
der **Schalter;** die Schalter (1. Lichtschalter; 2. Post-, Bahnschalter)

der Schalter

1.

2.

sich **schämen;** du schämst dich, er schämt sich, er schämte sich, er hat sich geschämt, schäme dich!
die **Schande**
die **Schar;** die Scharen; eine Schar Kinder
scharf; schärfer, am schärfsten; das Messer ist scharf
der **Scharlach**
scharren; der Hund scharrt, der Hund scharrte, der Hund hat ein Loch gescharrt
der **Schatten;** die Schatten **(15)**
schattig; hier ist es kühl und schattig
der **Schatz;** die Schätze
schauen; du schaust, er schaut, er schaute, er hat zur Seite geschaut, schau einmal her!
die **Schaufel;** die Schaufeln **(11)**
das **Schaufenster;** die Schaufenster **(15)**
die **Schaukel;** die Schaukeln **(4)**
schaukeln; du schaukelst, er schaukelt, er schaukelte, er hat geschaukelt, schaukele nicht so wild!
das **Schaukelpferd;** die Schaukelpferde **(2)**
der **Schaum**
die **Scheibe;** die Scheiben (1. runde

die Scheibe

1.

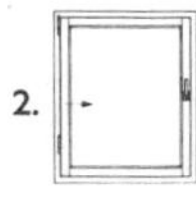
2.

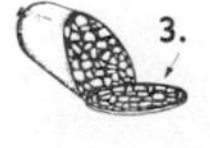
3.

Platte, z.B. ein Diskus; 2. Glasscheibe; 3. Wurstscheibe)
scheinen; die Sonne scheint, die Sonne schien, die Sonne hat gestern nicht geschienen
der **Scheinwerfer;** die Scheinwerfer **(6)**
der **Scheitel;** die Scheitel **(9)**
die **Schelle;** die Schellen
schellen; du schellst, er schellt, er schellte, er hat geschellt, schelle nicht so laut!
der **Schemel;** die Schemel (1. Schemel zum Sitzen; 2. Fußschemel)

der Schemel

der **Schenkel;** die Schenkel
schenken; du schenkst, er schenkt, er schenkte, er hat seiner Mutter Blumen geschenkt, schenke ihr Blumen!
die **Scherbe;** die Scherben
die **Schere;** die Scheren **(3)**
scheren; du scherst, er schert, er schor, er hat das Schaf geschoren, schere das Schaf!
der **Scherz;** die Scherze
scheu; er ist scheu wie ein Reh
scheuern; du scheuerst, sie scheuert, sie scheuerte, sie hat die Herdplatte gescheuert, scheuere den Fußboden!
die **Scheune;** die Scheunen **(16)**
scheußlich; es ist scheußlich kalt
der **Schi;** die Schier und die Schi; Schi fahren
schick; das Kleid ist schick
schicken; du schickst, er schickt, er schickte, er hat ihm Bücher geschickt, schicke ihm Bücher!
schieben; du schiebst, er schiebt, er schob, er hat sein Fahrrad geschoben, schiebe dein Fahrrad!
der **Schiedsrichter;** die Schiedsrichter
schief; das Bild hängt schief
die **Schiefertafel;** die Schiefertafeln
schielen; du schielst, er schielt, er schielte, er hat geschielt, schiele nicht!
schien siehe scheinen
das **Schienbein;** die Schienbeine
die **Schiene;** die Schienen (1. Armschiene; 2. Eisenbahnschiene)

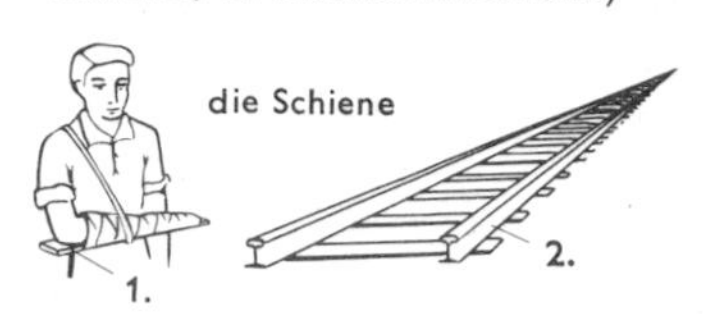

die Schiene

die **Schießbude;** die Schießbuden **(8)**
schießen; du schießt, er schießt, er schoß, er hat geschossen, schieße nicht!
das **Schiff;** die Schiffe **(27)**
die **Schiffschaukel;** die Schiffschaukeln **(8)**
das **Schild;** die Schilder
schildern; du schilderst, er schildert, er schilderte, er hat seine Ferienerlebnisse geschildert, schildere sie!
die **Schildkröte;** die Schildkröten **(23)**
das **Schilf;** die Schilfe **(26)**
der **Schimmel;** die Schimmel
schimmeln; das Brot schimmelt, das Brot schimmelte, das Brot hat geschimmelt
schimmlig; das Brot ist schimmlig
schimpfen; du schimpfst, er schimpft, er schimpfte, er hat geschimpft, schimpfe nicht!
der **Schinken;** die Schinken
die **Schippe;** die Schippen

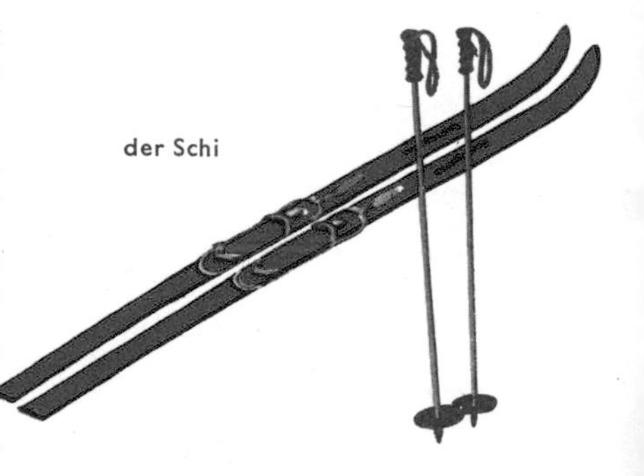
der Schi

der **Schirm;** die Schirme (1. Regenschirm; 2. Mützenschirm; 3. Lampenschirm)

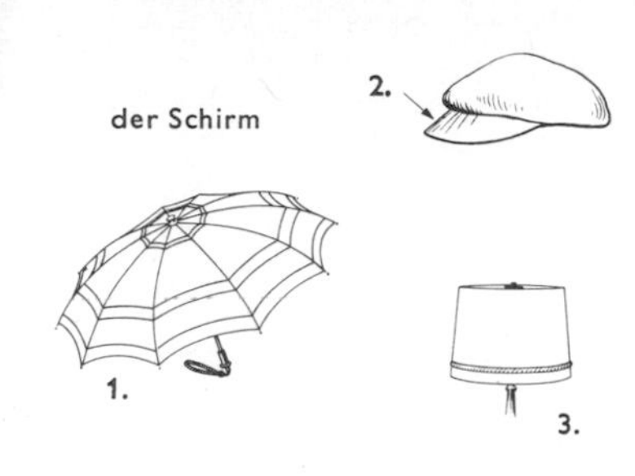

der Schirm

schlachten; du schlachtest, er schlachtet, er schlachtete, er hat das Schwein geschlachtet, schlachte das Schwein!
der **Schlachter;** die Schlachter
der **Schlaf**
der **Schlafanzug;** die Schlafanzüge
die **Schläfe;** die Schläfen
schlafen; du schläfst, er schläft, er schlief, er hat lange geschlafen, schlafe noch ein bißchen!
die **Schlafmütze;** die Schlafmützen
schläft siehe schlafen
das **Schlafzimmer;** die Schlafzimmer
der **Schlag;** die Schläge
schlagen; du schlägst ihn, er schlägt ihn, er schlug ihn, er hat ihn geschlagen, schlage ihn nicht!
der **Schläger;** die Schläger **(11)**
die **Schlagsahne**
schlägt siehe schlagen
der **Schlamm**
schlang siehe schlingen
die **Schlange;** die Schlangen

die Schlange

schlank; sie ist schlank wie eine Tanne
schlapp; das Wetter macht mich müde und schlapp
das **Schlaraffenland**
schlau; er ist ein schlauer Fuchs
der **Schlauberger;** die Schlauberger
der **Schlauch;** die Schläuche **(28)**
schlecht; wir haben schlechtes Wetter
schleichen; du schleichst, er schleicht, er schlich, er ist um die Ecke geschlichen
der **Schleier;** die Schleier
die **Schleife;** die Schleifen (1. Flußschleife; 2. Haarschleife)

die Schleife

schleifen; du schleifst, er schleift, er schleifte, er hat die Decke durchs Zimmer geschleift, schleife sie nicht durchs Zimmer!
schleifen; du schleifst, er schleift, er schliff, er hat die Messer geschliffen, schleife die Messer!
schleppen; du schleppst, er schleppt, er schleppte, er hat den Sack in den Keller geschleppt, schleppe ihn in den Keller!
die **Schleuder;** die Schleudern
schleudern; du schleuderst, er schleudert, er schleuderte, er hat den Ball viele Meter weit geschleudert, schleudere ihn!
schleunigst; komm schleunigst her!
die **Schleuse;** die Schleusen (Bild S. 132)
schlich siehe schleichen
schlief siehe schlafen
schließen; du schließt, er schließt, er schloß, er hat das Fenster geschlossen, schließe das Fenster!
schließlich; schließlich gab er nach
schlimm; es ist nicht so schlimm
der **Schlingel;** die Schlingel

schlingen; du schlingst, er schlingt, er schlang, er hat seine Arme um den Hals seiner Mutter geschlungen
der **Schlips**; die Schlipse
der **Schlitten**; die Schlitten; Schlitten fahren **(25)**
der **Schlittschuh**; die Schlittschuhe **(25)**
schloß siehe schließen
das **Schloß**; des Schlosses, die Schlösser
der **Schlosser**; die Schlosser
die **Schlucht**; die Schluchten

schluchzen; du schluchzt, er schluchzt, er schluchzte, er hat jämmerlich geschluchzt

der **Schluck**; die Schlucke und die Schlücke
schlucken; du schluckst, er schluckt, er schluckte, er hat die Tablette geschluckt, schlucke sie!
schlug siehe schlagen
schlummern; du schlummerst, er schlummert, er schlummerte, er hat selig geschlummert, schlummere noch ein wenig!
der **Schluß**; des Schlusses, die Schlüsse; mach Schluß!
der **Schlüssel**; die Schlüssel **(2)**
die **Schlüsselblume**; die Schlüsselblumen **(20)**
schmal; schmaler und schmäler, am schmalsten und am schmälsten; ein schmales Brett
das **Schmalz**
schmatzen; du schmatzt, er schmatzt, er schmatzte, er hat geschmatzt, schmatze nicht!
schmecken; das Eis schmeckt, das Eis hat gut geschmeckt
schmeißen; du schmeißt, er schmeißt, er schmiß, er hat mit Steinen geschmissen, schmeiße nicht mit Steinen!
schmelzen; der Schnee schmilzt, der Schnee schmolz, der Schnee ist geschmolzen
der **Schmerz**; die Schmerzen
der **Schmetterling**; die Schmetterlinge **(4)**
der **Schmied**; die Schmiede
schmieren; du schmierst, er schmiert, er schmierte, er hat die Butter dick aufs Brot geschmiert, schmiere die Butter nicht so dick!
der **Schmierfink**; die Schmierfinke
schmiß siehe schmeißen
schmolz siehe schmelzen
der **Schmuck**
schmücken; du schmückst, er schmückt, er schmückte, er hat den Saal geschmückt, schmücke den Saal!
schmusen; du schmust, er schmust, er schmuste, er hat mit ihr geschmust, schmuse nicht soviel!
der **Schmutz**
schmutzig; schmutzige Hände

der **Schnabel**; die Schnäbel **(18)**
die **Schnake**; die Schnaken
die **Schnalle**; die Schnallen
schnallen; du schnallst, er schnallt, er schnallte, er hat den Gürtel enger geschnallt, schnalle ihn enger!
schnappen; du schnappst ihn, er schnappt ihn, er schnappte ihn, er hat ihn geschnappt, schnappe ihn!
schnarchen; du schnarchst, er schnarcht, er schnarchte, er hat geschnarcht, schnarche nicht so laut!
schnattern; die Gänse schnattern, die Gänse schnatterten, die Gänse haben geschnattert
schnaufen; du schnaufst, er schnauft, er schnaufte, er hat geschnauft
die **Schnauze**; die Schnauzen
die **Schnecke**; die Schnecken **(4)**
der **Schnee**
der **Schneeball**; die Schneebälle
das **Schneeglöckchen**; die Schneeglöckchen

das Schneeglöckchen

der **Schneemann**; die Schneemänner
schneeweiß; die Wäsche ist schneeweiß
Schneewittchen
schneiden; du schneidest, er schneidet, er schnitt, er hat das Brot geschnitten, schneide das Brot!
der **Schneider**; die Schneider
die **Schneiderin**; die Schneiderinnen
schneien; es schneit, es schneite, es hat geschneit
schnell; er lief sehr schnell
der **Schnellzug**; die Schnellzüge
sich **schneuzen**; du schneuzt dich, er schneuzt sich, er schneuzte sich, er hat sich geschneuzt, schneuze dich einmal!
schnitt siehe schneiden
schnitzen; du schnitzt, er schnitzt, er schnitzte, er hat ein Reh geschnitzt, schnitze auch ein Reh!
der **Schnupfen**
schnuppern; der Hund schnuppert, er schnupperte, er hat an seinem Fressen geschnuppert
die **Schnur**; die Schnüre
schnüren; du schnürst, er schnürt, er schnürte, er hat die Schuhe geschnürt, schnüre die Schuhe noch etwas fester!
der **Schnurrbart**; die Schnurrbärte
schnurren; die Katze schnurrt, die Katze schnurrte, die Katze hat geschnurrt
der **Schnürsenkel**; die Schnürsenkel
schob siehe schieben
die **Schokolade (25)**
schon; es ist schon 8 Uhr
schön; wir haben schönes Wetter
die **Schönheit**; die Schönheiten
das **Schönschreibheft**; die Schönschreibhefte
schöpfen; du schöpfst, er schöpft, er schöpfte, er hat Wasser aus dem Brunnen geschöpft, schöpfe Wasser!
schor siehe scheren
der **Schornstein**; die Schornsteine **(27)**
der **Schornsteinfeger**; die Schornsteinfeger
schoß siehe schießen
schräg; das Dachzimmer ist schräg
der **Schrank**; die Schränke **(2)**
die **Schranke**; die Schranken (Bild S. 134)
die **Schraube**; die Schrauben
der **Schreck**; die Schrecke und der **Schrecken**; die Schrecken
schrecklich; das tut mir schrecklich leid
der **Schrei**; die Schreie
schreiben; du schreibst, er schreibt, er schrieb, er hat einen

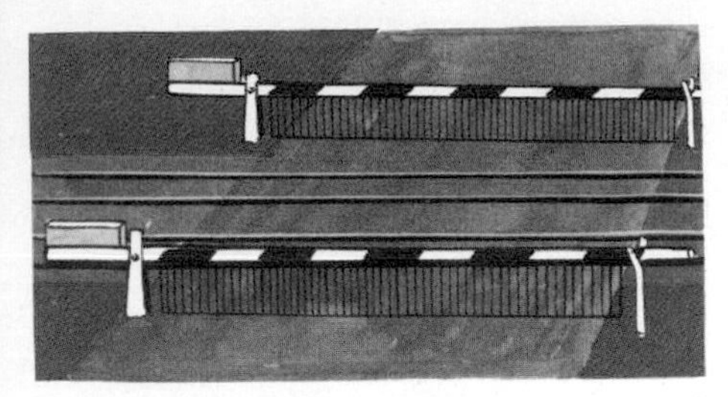
die Schranke

Brief geschrieben, schreibe schön!
der **Schreibtisch;** die Schreibtische **(3)**
schreien; du schreist, er schreit, er schrie, er hat laut geschrien, schreie nicht so laut!
der **Schreiner;** die Schreiner
schrie siehe schreien
schrieb siehe schreiben
die **Schrift;** die Schriften
der **Schritt;** die Schritte
schrubben; du schrubbst, er schrubbt, er schrubbte, er hat den Boden geschrubbt, schrubbe den Boden
der **Schrubber;** die Schrubber
die **Schubkarre;** die Schubkarren und der **Schubkarren;** die Schubkarren **(16)**
die **Schublade;** die Schubladen **(2)**
schubsen; du schubst mich, er schubst mich, er schubste mich, er hat mich geschubst, schubse mich nicht!
schüchtern; sei doch nicht so schüchtern!
der **Schuft;** die Schufte
der **Schuh;** die Schuhe **(28)**
der **Schuhmacher;** die Schuhmacher
die **Schularbeiten**
die **Schuld;** das ist seine Schuld, aber: er hat schuld
schuldig; er ist schuldig
die **Schule;** die Schulen
der **Schüler;** die Schüler
die **Schülerin;** die Schülerinnen
schulfrei; heute ist schulfrei
die **Schulter;** die Schultern **(10)**
die **Schultüte;** die Schultüten
der **Schulweg;** die Schulwege
der **Schupo;** die Schupos
der **Schuppen;** die Schuppen
schupsen siehe schubsen
der **Schurke;** die Schurken
die **Schürze;** die Schürzen **(1)**
der **Schuß;** des Schusses. die Schüsse
die **Schüssel;** die Schüsseln **(1)**
der **Schuster;** die Schuster
schütteln; du schüttelst, er schüttelt, er schüttelte, er hat die Pflaumen geschüttelt, schüttele die Pflaumen!
schütten; du schüttest, er schüttet, er schüttete, er hat die Kartoffeln in eine Kiste geschüttet, schütte sie in die Kiste!
der **Schutthaufen;** die Schutthaufen
der **Schutz**
schützen; du schützt, er schützt, er schützte, er hat seine kleine Schwester vor den bösen Buben geschützt, schütze sie!
der **Schutzmann;** die Schutzmänner und die Schutzleute **(6)**
schwach; schwächer, am schwächsten; er ist sehr schwach
die **Schwalbe;** die Schwalben

die Schwalbe

schwamm siehe schwimmen
der **Schwamm;** die Schwämme (1. zum Waschen; 2. Pilz)

der Schwamm

1.

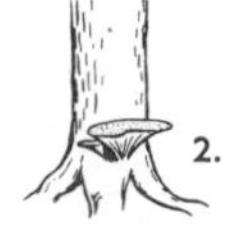
2.

der Schwan

der **Schwan;** die Schwäne
schwang siehe schwingen
der **Schwanz;** die Schwänze **(17)**
schwänzen; du schwänzt, er schwänzt, er schwänzte, er hat die letzte Stunde geschwänzt, schwänze nicht!
der **Schwarm;** die Schwärme
schwarz; schwärzer, am schwärzesten; der Himmel ist ganz schwarz
der **Schwarzwald**
schwätzen; du schwätzt, er schwätzt, er schwätzte, er hat die ganze Stunde mit seinem Nebenmann geschwätzt, schwätze nicht dauernd!
Schweden
schweigen; du schweigst, er schweigt, er schwieg, er hat lange geschwiegen, schweige endlich!
das **Schwein;** die Schweine **(17)**
der **Schweiß**
die **Schweiz**
die **Schwelle;** die Schwellen
schwenken; du schwenkst die Fahne, er schwenkt die Fahne, er schwenkte die Fahne, er hat die Fahne geschwenkt, schwenke sie!
schwer; die Aufgabe ist schwer
das **Schwert;** die Schwerter
die **Schwester;** die Schwestern **(14)**
schwieg siehe schweigen
schwierig; eine schwierige Aufgabe
das **Schwimmbad;** die Schwimmbäder **(11)**
schwimmen; du schwimmst, er schwimmt, er schwamm, er ist über den See geschwommen, aber: er hat zwei Stunden geschwommen; schwimme ans andere Ufer!
der **Schwindel**
schwindlig; mir ist ganz schwindlig
schwitzen; du schwitzt, er schwitzt, er schwitzte, er hat bei der Arbeit geschwitzt
schwören; du schwörst, er schwört er schwor, er hat geschworen, schwöre!
schwül; heute ist es sehr schwül
der **Schwung;** die Schwünge
schwupp; schwuppdiwupp!; schwups
sechs; der sechste Mai
sechshundert
sechsjährig; ein sechsjähriger Junge
sechsmal; er hat sechsmal gewürfelt; aber: sechs mal zwei (in Ziffern: 6 mal 2) ist zwölf (12)
sechstausend
sechstens
sechzehn
sechzig
der **See;** die Seen (der Landsee)
die **See;** die Seen (das Meer)
der **Seehund;** die Seehunde

der Seehund

die **Seele;** die Seelen
der **Seemann;** die Seeleute **(27)**
das **Segel;** die Segel **(26)**
das **Segelboot;** die Segelboote **(26)**
segeln; du segelst, er segelt, er segelte, er hat 3 Stunden gesegelt, aber: er ist nach Schweden gesegelt; segele mit mir!
segnen; du segnest ihn, er segnet ihn, er segnete ihn, er hat ihn gesegnet, segne ihn!

sehen; du siehst ihn, er sieht ihn, er sah ihn, er hat ihn gesehen, sieh!
sehr; er ist sehr müde
sei! siehe sein
seid siehe sein
die **Seide**
die **Seife (5)**
die **Seifenblase**; die Seifenblasen
das **Seifenkistenrennen**; die Seifenkistenrennen
das **Seil**; die Seile
sein; sein Hut; **seinetwegen**
sein; du bist, er ist, er war in Frankfurt, er ist in Frankfurt gewesen; sei artig!
seit; seit gestern
die **Seite**; die Seiten; stelle den Stuhl zur Seite
die **Sekretärin**; die Sekretärinnen **(12)**
die **Sekunde**; die Sekunden
selber, selbst; das esse ich selbst
selbständig; er ist sehr selbständig
selig; er ist ganz selig
der **Sellerie**; die Selleries

der Sellerie

selten; er ist selten auf dem Sportplatz
die **Semmel**; die Semmeln
der **Senf**
senken; du senkst, er senkt, er senkte, er hat den Kopf gesenkt, senke den Kopf!
senkrecht; eine senkrechte Wand
die **Sense**; die Sensen **(16)**
der **September**; des September und des Septembers
der **Sessel**; die Sessel **(3)**
sich **setzen**; du setzt dich, er setzt sich, er setzte sich, er hat sich gesetzt, setze dich!
Sibylle
sich; er schämt sich
die **Sichel**; die Sicheln
sicher; er kommt ganz sicher
sie; sie kommt
das **Sieb**; die Siebe
sieben; der siebte Mai
siebenhundert
siebenjährig; ein siebenjähriges Mädchen
siebenmal; er hat siebenmal gewürfelt; aber: sieben mal zwei (in Ziffern: 7 mal 2) ist vierzehn (14)
siebentausend
siebtens
siebzehn
siebzig
die **Siedlung**; die Siedlungen
der **Sieg**; die Siege
siegen; du siegst, er siegt, er siegte, er hat beim 100-m-Lauf gesiegt, siege!
der **Sieger**; die Sieger
Siegfried
siehe! siehe sehen
das **Signal**; die Signale
die **Silbe**; die Silben
das **Silber**
silbern; ein silberner Becher
das **Silo**; die Silos **(16)**
das **Silvester**
sind siehe sein
singen; du singst, er singt, er sang, er hat ein Lied gesungen, singe ein Lied!
sinken; das Hochwasser sinkt, das Hochwasser sank, das Hochwasser ist gesunken
die **Sintflut**
der **Sirup**
der **Sitz**; die Sitze **(6)**
sitzen; du sitzt, er sitzt, er saß, er hat auf der Treppe gesessen, sitze gerade!
sitzenbleiben; er bleibt sitzen, er ist sitzengeblieben
Ski siehe Schi
so; so daß; so, so!; sobald
die **Socke** und der **Socken**; die Socken **(5)**

das **Sofa**; die Sofas
sofort; sogar, sogleich; ich komme sofort
die **Sohle**; die Sohlen
der **Sohn**; die Söhne
solange; ich tue das, solange du willst
solch; solcher, solche, solches
der **Soldat**; des Soldaten, die Soldaten
sollen; du sollst, er soll, er sollte, er hat es gesollt, aber: ich hätte schlafen sollen
der **Sommer**; die Sommer
die **Sommerferien**
sondern; nicht nur er war zu Hause, sondern auch seine Schwester
der **Sonnabend**; **sonnabends**; sonnabends fahren wir in unser Wochenendhaus
die **Sonne**
die **Sonnenblume**; die Sonnenblumen

die Sonnenblume

das **Sonnenöl** **(26)**
der **Sonnenschein**
der **Sonnenschirm**; die Sonnenschirme **(26)**
sonnig; sonniges Wetter
der **Sonntag**; **sonntags**; sonntags gehen wir alle spazieren
sonst; sonstwie; sonstwo
Sophie, auch: Sofie

sorgen; die Mutter sorgt für dich, die Mutter hat für dich gesorgt; sorge du dafür, daß alles gut geht!
sorgfältig; arbeite sorgfältig!
die **Sorte**; die Sorten
die **Soße**; die Soßen
soviel; soviel ich weiß
soweit; soweit ich sehe
sowie; sowie er kommt
sowohl; sowohl – als auch
der **Spalt**; die Spalte und die **Spalte**; die Spalten
spalten; du spaltest Holz, er spaltet Holz, er spaltete Holz, er hat Holz gespalten oder gespaltet, spalte auch du Holz!
die **Spange**; die Spangen (1. Haarspange; 2. Kleiderspange)

die Spange

Spanien
spann siehe spinnen
spannen; du spannst, er spannt, er spannte, er hat ein Seil über die Straße gespannt, spanne kein Seil über die Straße!
spannend; der Film war sehr spannend
das **Sparbuch**; die Sparbücher **(7)**
die **Sparbüchse**; die Sparbüchsen
sparen; du sparst, er spart, er sparte, er hat 20 Mark gespart, spare du auch!
der **Spargel**; die Spargel **(20)**
sparsam; er ist sehr sparsam
der **Spaß**; die Späße
spät; später, spätestens; **spätabends**
der **Spaten**; die Spaten **(4)**
der **Spatz**; des Spatzen, die Spatzen; das Spätzchen
spazierengehen; du gehst spazieren, er geht spazieren, er ging spazieren, er ist jeden Tag spazierengegangen, gehe auch spazieren!
der **Spaziergang**; die Spaziergänge

der Specht

der **Specht**; die Spechte
der **Speck**
der **Speer**; die Speere (1. Waffe; 2. Sportgerät)

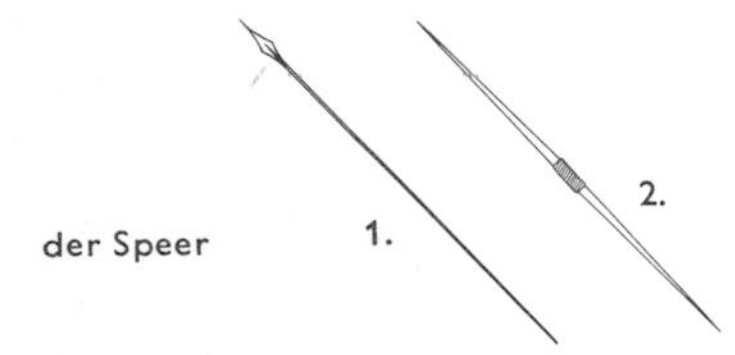

der Speer

die **Speiche**; die Speichen
der **Speichel**
der **Speicher**; die Speicher **(27)**
die **Speise**; die Speisen
der **Spektakel**
der **Sperber**; die Sperber
der **Sperling**; die Sperlinge

der Sperling

die **Sperre**; die Sperren
der **Spiegel**; die Spiegel **(5)**
das **Spiel**; die Spiele
spielen; du spielst, er spielt, er spielte, er hat mit mir gespielt, spiele mit mir!
der **Spieler**; die Spieler **(10)**
der **Spielplatz**; die Spielplätze
die **Spielsachen**
der **Spielverderber**; die Spielverderber
die **Spielwiese**; die Spielwiesen **(11)**
das **Spielzeug**
der **Spieß**; die Spieße
der **Spinat**
die **Spindel**; die Spindeln
die **Spinne**; die Spinnen

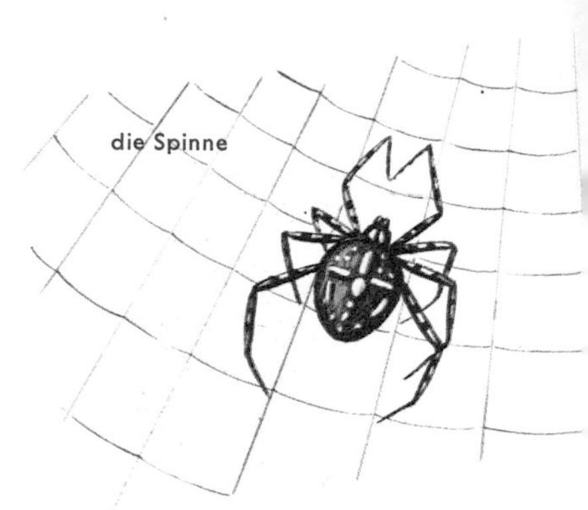
die Spinne

spinnen; du spinnst, er spinnt, er spann; er hat gesponnen
das **Spinnrad**; die Spinnräder
spitz; spitze Nadeln
der **Spitz**; die Spitze
der **Spitzbube**; die Spitzbuben
die **Spitze**; die Spitzen
spitzen; du spitzt, er spitzt, er spitzte, er hat den Bleistift gespitzt, spitze deinen Bleistift!
der **Splitter**; die Splitter
splittern; das Holz splittert, das Holz splitterte, das Holz ist gesplittert
der **Sport**
der **Sportler**; die Sportler

der **Sportplatz;** die Sportplätze **(10)**
spotten; du spottest, er spottet, er spottete, er hat gespottet, spotte nicht!
sprach siehe sprechen
die **Sprache;** die Sprachen
sprang siehe springen
sprechen; du sprichst, er spricht, er sprach, er hat gesprochen, sprich deutlich!
das **Sprichwort;** die Sprichwörter
der **Springbrunnen;** die Springbrunnen

der Springbrunnen

springen; du springst, er springt, er sprang, er ist über den Graben gesprungen, springe darüber!
die **Spritze;** die Spritzen **(12)**
spritzen; du spritzt, er spritzt, er spritzte, er hat den Rasen gespritzt, spritze den Rasen!
der **Spruch;** die Sprüche **(9)**
der **Sprudel;** die Sprudel
der **Sprung;** die Sprünge
das **Sprungbrett;** die Sprungbretter **(11)**
die **Spucke**
spucken; du spuckst, er spuckt, er spuckte, er hat gespuckt, spucke nicht!
spülen; du spülst, sie spült, sie spülte, sie hat das Geschirr gespült, spüle!
die **Spur;** die Spuren **(13)**
spüren; du spürst, er spürt, er spürte, er hat den Schlag gespürt
der **Staat;** die Staaten
der **Stab;** die Stäbe
der **Stachel;** die Stacheln
die **Stachelbeere;** die Stachelbeeren **(20)**
die **Stadt;** die Städte
stahl siehe stehlen
der **Stall;** die Ställe **(16)**
der **Stamm;** die Stämme **(4)**
stand siehe stehen
der **Stand;** die Stände
der **Ständer;** die Ständer **(25)**
ständig; er schwätzt ständig
die **Stange;** die Stangen **(21)**
stank siehe stinken
der **Star;** die Stare
starb siehe sterben
stark; stärker, am stärksten; er ist sehr stark
der **Start;** die Starts
starten; du startest, er startet, er startete, er ist bei diesem Rennen gestartet, starte auch!
statt; statt dessen
der **Staub**
staubig; eine staubige Straße
staunen; du staunst, er staunt, er staunte, er hat gestaunt, staune nur!
stechen; du stichst, er sticht, er stach, er hat mich, (auch) mir ins Bein gestochen, stich ihn nicht!
stecken; du steckst, er steckt, er steckte, er hat den Brief in den Kasten gesteckt, stecke ihn in den Kasten!; wo steckst du denn?
der **Stecken;** die Stecken
die **Stecknadel;** die Stecknadeln

der Star

Stefan, siehe auch: Stephan
der **Steg;** die Stege **(18)**
stehen; du stehst, er steht, er stand, er hat an der Tür gestanden
stehlen; du stiehlst, er stiehlt, er stahl, er hat Geld gestohlen, stiehl nicht!
steif; meine Finger sind steif vor Kälte
steigen; du steigst, er steigt, er stieg, er ist auf die Leiter gestiegen; steige auf die Leiter!
steil; ein steiler Weg
der **Stein;** die Steine **(26)**
die **Stelle;** die Stellen
stellen; du stellst, er stellt, er stellte, er hat den Stuhl an die Wand gestellt, stelle die Milch in den Eisschrank!
die **Stelzen**
der **Stempel;** die Stempel **(7)**
das **Stempelkissen;** die Stempelkissen **(7)**
der **Stengel;** die Stengel **(4)**
Stephan, siehe auch: Stefan
sterben; du stirbst, er stirbt, er starb, er ist gestorben
der **Stern;** die Sterne **(25)**
das **Steuer;** die Steuer **(6)**
steuern; du steuerst, er steuert, er steuerte, er hat falsch gesteuert, steuere richtig!
stich! siehe stechen
der **Stich;** die Stiche
sticken; du stickst, sie stickt, sie stickte, sie hat eine Decke gestickt, sticke eine schöne Decke!
der **Stiefel;** die Stiefel
das **Stiefmütterchen;** die Stiefmütterchen **(20)**
stieg siehe steigen
stiehl! siehe stehlen
der **Stiel;** die Stiele
der **Stier;** die Stiere
stieß siehe stoßen
der **Stift;** die Stifte (1. Nagelart; 2. Bleistift, Buntstift; 3. Lehrling)
still; es ist ganz still
die **Stimme;** die Stimmen
stimmen; etwas stimmt, etwas stimmte, etwas hat gestimmt
stimmt!

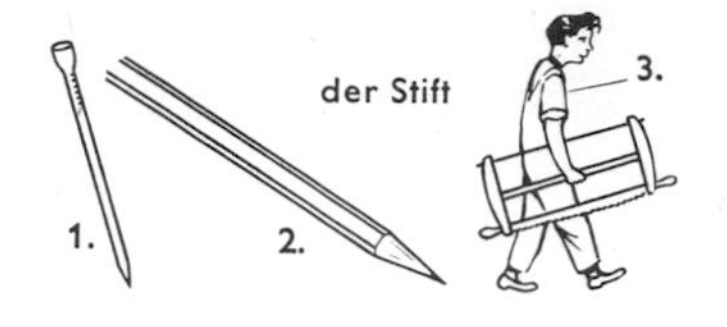

der Stift

stinken; du stinkst, er stinkt, er stank, er hat gestunken
stirb! siehe sterben
die **Stirn;** die Stirnen

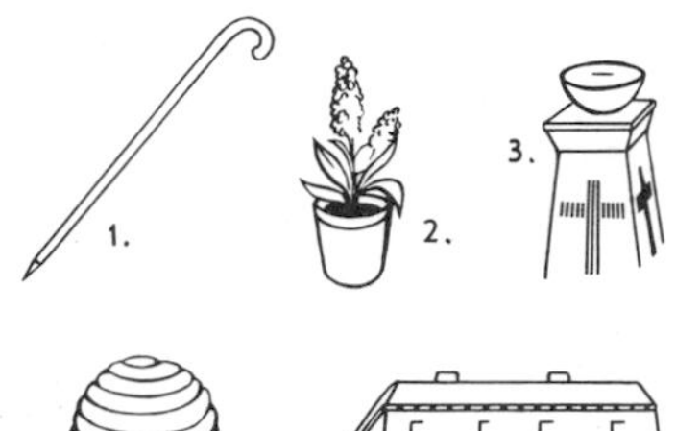

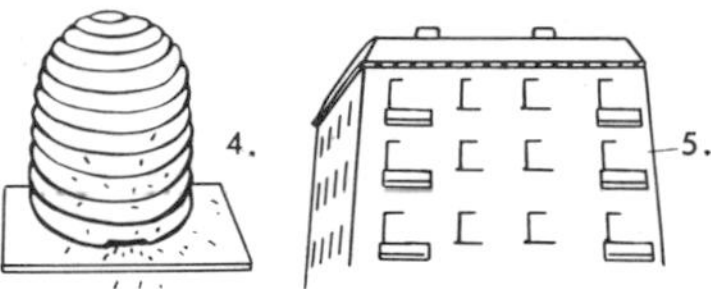

der Stock

der **Stock** (1. Spazierstock; 2. Blumenstock; 3. Opferstock; 4. Bienenstock; 5. Stockwerk)
der **Stoff;** die Stoffe
stöhnen; du stöhnst, er stöhnt, er stöhnte, er hat laut gestöhnt, stöhne nicht!
die **Stolle** und der **Stollen;** die Stollen (ein Weihnachtsgebäck)

der Stollen

der **Stollen;** die Stollen (1. unterirdischer Gang; 2. Zapfen am Fußballschuh)
stolpern; du stolperst, er stolpert,

er stolperte, er ist gestolpert, stolpere nicht!
stolz; sie ist sehr stolz auf ihren Bruder
stopfen; du stopfst, sie stopft, sie stopfte, sie hat Strümpfe gestopft, stopfe die Strümpfe!
das **Stoppelfeld;** die Stoppelfelder
stoppen; du stoppst, er stoppt, er stoppte, er hat den Ball gestoppt, stoppe den Ball!
die **Stoppuhr;** die Stoppuhren **(10)**
der **Storch;** die Störche

der Storch

stören; du störst, er stört, er störte, er hat den Unterricht gestört, störe nicht!
der **Stoß;** die Stöße
stoßen; du stößt, er stößt, er stieß, er hat ihn gestoßen, stoße ihn nicht!
die **Stoßstange;** die Stoßstangen **(6)**
stottern; du stotterst, er stottert, er stotterte, er hat gestottert
die **Strafe;** die Strafen
strampeln; du strampelst, er strampelt, er strampelte, er hat gestrampelt, strampele nicht!
der **Strand;** die Strände **(26)**
der **Strandkorb;** die Strandkörbe **(26)**
die **Straße;** die Straßen **(6)**
die **Straßenbahn;** die Straßenbahnen **(6)**
die **Straßenwalze;** die Straßenwalzen **(15)**
der **Strauch;** die Sträucher **(4)**
der **Strauß;** die Sträuße (Blumenstrauß)

der Strauß

der **Strauß;** die Strauße (Vogel)

der Strauß

der **Streich;** die Streiche; jemandem einen Streich spielen
streicheln; du streichelst, er streichelt, er streichelte, er hat den Hund gestreichelt, streichele ihn!
streichen; du streichst, er streicht, er strich, er hat die Fenster gestrichen, streiche die Fenster!
das **Streichholz;** die Streichhölzer
der **Streifen;** die Streifen **(28)**

der **Streit**
streiten; du streitest, er streitet, er stritt, er hat mit seinem Bruder gestritten; streite nicht!
streng; er wurde streng bestraft
streuen; du streust, er streut, er streute, er hat Sand gestreut, streue Sand!
der **Streuselkuchen;** die Streuselkuchen
strich siehe streichen
der **Strich;** die Striche
der **Strick;** die Stricke **(17)**
stricken; du strickst, sie strickt, sie strickte, sie hat einen Pullover gestrickt, stricke mir auch einen Pullover!
das **Stroh (17)**
der **Strohhalm;** die Strohhalme
der **Strolch;** die Strolche
der **Strom;** die Ströme
die **Strömung;** die Strömungen
die **Strophe;** die Strophen
strubbelig; er macht mich ganz strubbelig
der **Strumpf;** die Strümpfe
die **Strumpfhose;** die Strumpfhosen
struppig; struppiges Haar
der **Struwwelpeter**
die **Stube;** die Stuben
das **Stück;** die Stücke; 5 Stück Zucker
die **Stufe;** die Stufen
der **Stuhl;** die Stühle **(2)**
stumm; er ist stumm wie ein Fisch
stumpf; das Messer ist stumpf
die **Stunde;** die Stunden
der **Stundenplan;** die Stundenpläne **(9)**
stupsen; du stupst, er stupst, er stupste, er hat ihn gestupst, stupse ihn nicht!
die **Stupsnase;** die Stupsnasen
der **Sturm;** die Stürme
stürmisch; ein stürmisches Wetter
der **Sturz;** die Stürze
stürzen; du stürzt, er stürzt, er stürzte, er ist gestürzt, stürze nicht!
der **Sturzhelm;** die Sturzhelme **(6)**
der **Stutzen;** die Stutzen **(10)**
stützen; du stützt, er stützt, er stützte, er hat ihn gestützt, stütze ihn!
suchen; du suchst, er sucht, er suchte, er hat ihn gesucht, suche ihn!
der **Süden**
südlich
die **Summe;** die Summen
summen; du summst, er summt, er summte, er hat gesummt, summe nicht!
der **Sumpf;** die Sümpfe

der Sumpf

die **Sünde;** die Sünden
der **Sünder;** die Sünder
sündigen; du sündigst, er sündigt, er sündigte, er hat gesündigt, sündige nicht!
die **Suppe;** die Suppen
der **Suppenkasper**
süß; am süßesten; süße Kirschen
die **Süßigkeiten (8)**

T

der **Tabak**
das **Tablett;** die Tablette und die Tabletts
die **Tablette;** die Tabletten
tadellos; der Anzug paßt tadellos

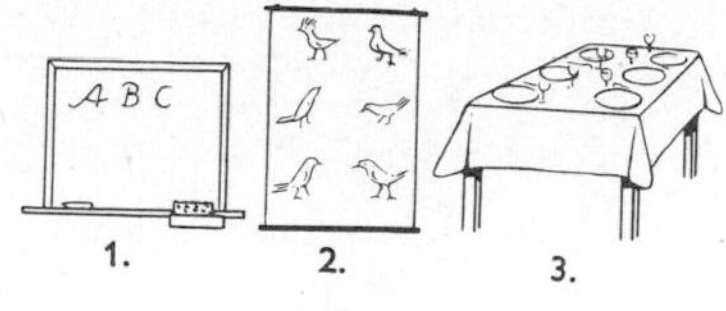

die Tafel

die **Tafel**; die Tafeln (1. Wandtafel; 2. Bildtafel; 3. gedeckter Tisch)
der **Tag**; die Tage
das **Tal**; die Täler
der **Taler**; die Taler
tanken; du tankst, er tankt, er tankte, er hat 10 Liter Benzin getankt; tanke, bevor du auf die Autobahn fährst!
die **Tankstelle**; die Tankstellen **(24)**
der **Tankwart**; die Tankwarte **(24)**
die **Tanne**; die Tannen
der **Tannenbaum**; die Tannenbäume **(25)**
die **Tante**; die Tanten
der **Tanz**; die Tänze
tanzen; du tanzt, er tanzt, er tanzte, er hat einen Walzer getanzt, tanze auch einmal!
die **Tapete**; die Tapeten **(3)**
tapfer; er ist sehr tapfer
die **Tasche**; die Taschen
die **Taschenlampe**; die Taschenlampen
das **Taschentuch**; die Taschentücher
die **Tasse**; die Tassen; das **Täßchen (1)**
tat siehe tun
die **Tat**; die Taten; in der Tat
tatsächlich; er war tatsächlich zu Hause
die **Tatze**; die Tatzen **(22)**
das **Tau**; die Taue **(27)**
der **Tau**
taub; er ist auf einem Ohr taub
die **Taube**; die Tauben
taubstumm; der Junge ist taubstumm
tauchen; du tauchst, er taucht, er tauchte, er hat und er ist getaucht, aber *nur*: er ist bis auf den Grund getaucht, tauche!
der **Taucher**; die Taucher
tauen; es taut, es taute, es hat getaut
die **Taufe**; die Taufen
taufen; du taufst, er tauft, er taufte, er hat mich getauft, taufe ihn auf den Namen Karl!
der **Taugenichts**; die Taugenichtse
der **Taunus**
tauschen; du tauschst, er tauscht, er tauschte, er hat mit mir getauscht, tausche mit ihm!
tausend; tausendmal
der **Teddy**; die Teddys; der **Teddybär**; die Teddybären **(2)**
der **Tee**
der **Teelöffel**; die Teelöffel
der **Teer**
der **Teich**; die Teiche
der **Teig**
der **Teil** und das **Teil**; die Teile; zum Teil
teilen; du teilst, er teilt, er teilte, er hat mit seiner Schwester geteilt, teile mit ihr!
das **Telefon**; die Telefone **(12)**
das **Telefonbuch**; die Telefonbücher **(7)**
telefonieren; du telefonierst, er telefoniert, er telefonierte, er hat mit seinem Freund telefoniert, telefoniere nicht soviel!
die **Telefonzelle**; die Telefonzellen **(7)**
das **Telegramm**; die Telegramme
der **Telegraphenmast**; die Telegraphenmaste und die Telegraphenmasten **(18)**
der **Teller**; die Teller **(1)**
der **Tempel**; die Tempel
das **Tempo**
der **Teppich**; die Teppiche **(3)**

die Taube

die **Terrasse;** die Terrassen
teuer; es ist alles sehr teuer
der **Teufel;** die Teufel
das **Theater;** die Theater
Theodor
das **Thermometer;** die Thermometer **(12)**
Thomas
der **Thüringer Wald**
ticken; die Uhr tickt, die Uhr tickte, die Uhr hat getickt
ticktack!
tief; ein tiefer Graben
die **Tiefe;** die Tiefen
das **Tier;** die Tiere
die **Tierquälerei;** die Tierquälereien
der **Tiger;** die Tiger **(22)**
die **Tinte**
das **Tintenfaß;** die Tintenfässer
der **Tintenklecks;** die Tintenkleckse
der **Tisch;** die Tische **(3)**
die **Tischdecke;** die Tischdecken **(3)**
toben; du tobst, er tobt, er tobte, er hat getobt, tobe nicht!
die **Tochter;** die Töchter
der **Tod**
todmüde; er kam todmüde nach Hause
die **Toilette;** die Toiletten
toll; in euerem Zimmer sieht es toll aus
der **Tolpatsch;** die Tolpatsche
die **Tomate;** die Tomaten **(19)**
der **Ton;** die Töne
die **Tonne;** die Tonnen **(4)**
der **Topf;** die Töpfe **(1)**
der **Topflappen;** die Topflappen **(1)**
das **Tor;** die Tore (1. Haustor; 2. Fußballtor)

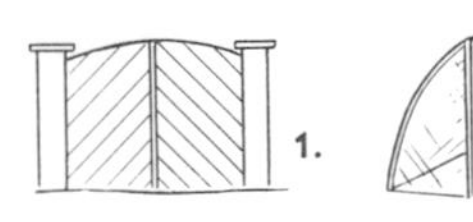

das Tor

der **Tormann;** die Tormänner **(10)**
der **Torpfosten;** die Torpfosten **(10)**
die **Torte;** die Torten
tot; er ist tot
der **Tote;** die Toten

töten; du tötest, er tötet, er tötete, er hat den Vogel getötet, töte kein Tier!
sich **totlachen;** er lacht sich tot, er hat sich totgelacht
totschießen; der Jäger schießt den Hasen tot, er hat den Hasen totgeschossen
traf siehe treffen
träg und **träge;** sei doch nicht so träge!
tragen; du trägst, er trägt, er trug, er hat den Koffer getragen, trage deiner Mutter die Einkaufstasche!
der **Traktor;** die Traktoren

der Traktor

trampeln; du trampelst, er trampelt, er trampelte, er hat getrampelt, trampele nicht!
die **Träne;** die Tränen
trank siehe trinken
der **Trapper;** die Trapper

der Trapper

trat siehe treten
die **Traube;** die Trauben
sich **trauen;** du traust dich nicht, er traut sich nicht, er traute sich nicht, er hat sich nicht getraut zu springen

die **Trauer**
der **Traum;** die Träume
träumen; du träumst, er träumt, er träumte, er hat geträumt, träume nicht!
traurig; er war sehr traurig
der **Trecker;** die Trecker **(16)**
treffen; du triffst, er trifft, er traf, er hat ihn getroffen, triff ihn!
treiben; du treibst, er treibt, er trieb, er hat das Vieh auf die Weide getrieben, treibe es auf die Weide!
das **Treibhaus;** die Treibhäuser

das Treibhaus

die **Treppe;** die Treppen **(28)**
treten; du trittst, er tritt, er trat, er ist in die Pfütze getreten, a b e r : er hat ihn getreten, tritt ihn nicht!
treu; ein treuer Freund
der **Trichter;** die Trichter
trieb siehe treiben
triff siehe treffen
trinken; du trinkst, er trinkt, er trank, er hat Milch getrunken, trinke viel Milch!
tritt siehe treten

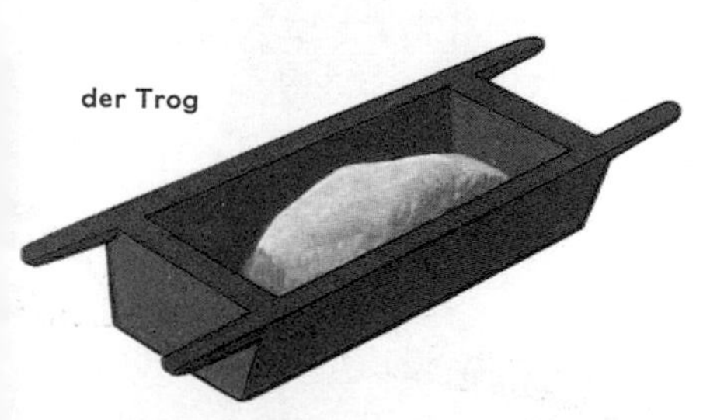

der Trog

der **Tritt;** die Tritte
trocken; trockenes Brot
trocknen; du trocknest, er trocknet, er trocknete, er hat die Kleider getrocknet, trockne deine nassen Kleider!
trödeln; du trödelst, er trödelt, er trödelte, er hat getrödelt, trödele nicht!
der **Trog;** die Tröge
die **Trommel;** die Trommeln **(8)**
trommeln; du trommelst, er trommelt, er trommelte, er hat getrommelt, trommle nicht so laut!
die **Trompete;** die Trompeten
tropfen; der Wasserhahn tropft, tropfte, hat getropft
der **Tropfen;** die Tropfen
trösten; du tröstest ihn, er tröstet ihn, er tröstete ihn, er hat ihn getröstet, tröste ihn!
trotzdem; ich komme trotzdem
der **Trotzkopf;** die Trotzköpfe
trüb und **trübe;** trübes Wetter
trug siehe tragen

die Trompete

der **Truthahn;** die Truthähne
die **Tube;** die Tuben
das **Tuch;** die Tücher
tüchtig; ein tüchtiger Junge
die **Tulpe;** die Tulpen **(4)**
der **Tümpel;** die Tümpel
tun; du tust es, er tut es, er tat es, er hat es getan, tue es!
die **Tunke;** die Tunken

der Tunnel

der **Tunnel;** die Tunnel und die Tunnels
die **Tür;** die Türen **(9)**
die **Türkei**
die **Türklinke;** die Türklinken **(9)**
der **Turm;** die Türme; das Türmchen **(15)**
turnen; du turnst, er turnt, er turnte, er hat am Reck geturnt, turne öfter!
der **Turner;** die Turner
die **Turnhalle;** die Turnhallen
das **Turnhemd;** die Turnhemden **(10)**
die **Turnhose;** die Turnhosen **(10)**
der **Turnschuh;** die Turnschuhe **(10)**
die **Tüte;** die Tüten
tuten; die Lokomotive tutet, sie tutete, sie hat getutet

U

übel; mir ist übel
üben; du übst, er übt, er übte, er hat einen Handstand geübt, übe ihn!
über; das Bild hängt über dem Sofa, aber: ich hänge das Bild über das Sofa
überall; er ist überall bekannt
übereinander; ich lege die Bretter übereinander
überfahren; er überfährt den Hund, er hat den Hund überfahren
überfallen; er überfällt ihn, er hat ihn überfallen
überhaupt; wie war das überhaupt möglich?
überholen; er überholt mich, er hat mich überholt
überlegen; du überlegst, er überlegt, er überlegte, er hat lange überlegt, überlege einmal!
übermorgen; übermorgen komme ich wieder
übermütig; sei nicht so übermütig!
überqueren; du überquerst die Straße, er überquert die Straße, er überquerte die Straße, er hat die Straße überquert, überquere sie!
überraschen; du überraschst mich, er überrascht mich, er überraschte mich, er hat mich mit diesem Geschenk überrascht, überrasche ihn!
der **Überschlag;** die Überschläge
die **Überschrift;** die Überschriften
übertreiben; du übertreibst, er übertreibt, er übertrieb, er hat übertrieben, übertreibe nicht!
üblich; das ist hier üblich
übrig; zwei Brötchen sind übrig
übrigbleiben; etwas bleibt übrig, etwas ist übriggeblieben
das **Ufer;** die Ufer
die **Uhr;** die Uhren **(14)**
der **Uhrmacher;** die Uhrmacher
der **Uhu;** die Uhus

der Uhu

ulkig; ein ulkiger Kerl
die **Ulme**; die Ulmen
Ulrich
Ulrike
um; um den Tisch; um so mehr
umarmen; du umarmst ihn, er umarmt ihn, er hat ihn umarmt, umarme ihn!
umdrehen; er dreht den Pfennig um, er hat den Pfennig umgedreht; sich umdrehen; er hat sich umgedreht
umfallen; der Stuhl fällt um, der Stuhl ist umgefallen
der **Umfang**; die Umfänge
die **Umgebung**; die Umgebungen
umgraben; er gräbt den Garten um, er hat den Garten umgegraben
umhaben; er hat einen Schal um, er hat einen Schal umgehabt
umkehren; er kehrt um, er ist umgekehrt
umkippen; der Wagen kippt um, der Wagen ist umgekippt
umknicken; er knickt mit dem Fuß um, er ist mit dem Fuß umgeknickt
umrennen; er rennt mich um, er hat mich umgerannt
der **Umschlag**; die Umschläge
umschmeißen; er schmeißt das Fahrrad um, er hat das Fahrrad umgeschmissen
sich **umsehen**; er sieht sich um, er hat sich umgesehen
umsonst; es war alles umsonst
umsteigen; er steigt um, er ist in Frankfurt umgestiegen
umstoßen; er stößt die Vase um, er hat die Vase umgestoßen
umtauschen; sie tauscht das Kleid um, sie hat das Kleid umgetauscht
der **Umweg**; die Umwege
umwerfen; er wirft den Stuhl um, er hat den Stuhl umgeworfen
umziehen; er zieht um, er ist umgezogen; sich umziehen; er hat sich umgezogen
umzingeln; wir umzingeln ihn, wir haben ihn umzingelt
der **Umzug**; die Umzüge

unaufmerksam; ein unaufmerksamer Schüler
unausstehlich; du bist heute unausstehlich!
unbedingt; du mußt unbedingt kommen
unbequem; ein unbequemer Stuhl
unbescheiden; sei nicht so unbescheiden!
und; er und ich
undankbar; du bist sehr undankbar
unentschieden; das Spiel endete unentschieden
der **Unfall**; die Unfälle **(24)**
der **Unfug**
ungeduldig; sei doch nicht so ungeduldig
ungefähr; das kostet ungefähr 5 Mark
das **Ungeziefer**
ungezogen; er ist sehr ungezogen
das **Unglück**; die Unglücke
unheimlich; er ist unheimlich dick
die **Uniform**; die Uniformen **(28)**
das **Unkraut**; die Unkräuter
unmöglich; das ist unmöglich
das **Unrecht**; du bist im Unrecht, aber: du hast unrecht
unruhig; in der Klasse war es heute sehr unruhig
uns; das Haus gehört uns
unschuldig; er ist unschuldig
der **Unsinn**
unten; er hat sich von oben bis unten beschmiert
unter; ich stehe unter dem Baum, aber: ich stelle mich unter den Baum
untergehen; die Sonne geht unter, die Sonne ist untergegangen
sich **unterhalten**; er unterhält sich mit mir, er hat sich mit mir unterhalten
die **Unterhaltung**; die Unterhaltungen
die **Unterhose**; die Unterhosen
der **Unterricht**
der **Unterrock**; die Unterröcke
der **Unterschied**; die Unterschiede
die **Unterschrift**; die Unterschriften
untersuchen; er muß alles untersuchen, er hat alles untersucht

der Urwald

die **Untertasse;** die Untertassen
unterwegs; unterwegs hat er immer Durst
unvernünftig; sei doch nicht so unvernünftig
der **Urlaub;** die Urlaube
Ursula
der **Urwald;** die Urwälder
Ute

V

das **Vanilleeis** und das **Vanilleneis**
die **Vase;** die Vasen **(3)**
der **Vater;** die Väter; der Vati
das **Vaterunser**
das **Veilchen;** die Veilchen
das **Ventil;** die Ventile
Vera
sich **verabreden;** du verabredest dich, er verabredet sich, er verabredete sich, er hat sich mit ihm am Bahnhof verabredet, verabrede dich mit ihm!
sich **verändern;** du veränderst dich, er verändert sich; er hat sich sehr verändert
verärgert; er ist verärgert
verband siehe verbinden
der **Verband;** die Verbände **(12)**
verbessern; du verbesserst, er verbessert, er verbesserte, er hat den Fehler verbessert, verbessere und verbeßre ihn!
die **Verbesserung;** die Verbesserungen
sich **verbeugen;** du verbeugst dich, er verbeugt sich, er verbeugte sich, er hat sich höflich verbeugt, verbeuge dich!
die **Verbeugung;** die Verbeugungen
verbeult; das Schutzblech ist verbeult
verbieten; du verbietest, er verbietet, er verbot, der Vater hat das Rauchen verboten, verbiete es ihm!
verbinden; du verbindest, er verbindet, er verband, er hat die Wunde verbunden, verbinde sie!
verbot siehe verbieten
das **Verbot;** die Verbote
verboten; ein verbotener Weg
verbrennen; du verbrennst, er verbrennt, er verbrannte, er hat das Papier verbrannt, verbrenne es!
verbunden siehe verbinden
der **Verdacht**
verdächtig; das ist sehr verdächtig
das **Verdeck;** die Verdecke **(27)**
verderben; du verdirbst, er verdirbt, er verdarb, er hat uns das ganze Spiel verdorben, verdirb uns nicht das Spiel!

das Veilchen

verdienen; du verdienst, er verdient, er verdiente, er hat viel Geld verdient, verdiene dir etwas!
verdorben siehe verderben
der **Verein;** die Vereine
verfault; die Äpfel sind verfault
verfolgen; du verfolgst ihn, er verfolgt ihn, er verfolgte ihn, er hat ihn verfolgt, verfolge ihn!
die **Verfolgung;** die Verfolgungen
vergangen siehe vergehen
die **Vergangenheit**
vergaß siehe vergessen
vergehen; die Zeit vergeht schnell, verging schnell, die Zeit ist schnell vergangen
vergessen; du vergißt, er vergißt, er vergaß, er hat alles vergessen, vergiß es!
verging siehe vergehen
vergiß siehe vergessen
das **Vergißmeinnicht;** die Vergißmeinnicht und die Vergißmeinnichte

das Vergißmeinnicht

vergleichen; du vergleichst, er vergleicht, er verglich, er hat die Bilder miteinander verglichen, vergleiche sie!
das **Vergnügen;** die Vergnügen
verhaften; du verhaftest ihn, er verhaftet ihn, er verhaftete ihn, er hat ihn verhaftet, verhafte ihn!
verhauen; du verhaust ihn, er verhaut ihn, er verhaute ihn, er hat ihn verhauen, verhaue ihn!
verhungern; du verhungerst, er verhungert, er verhungerte, er ist verhungert, verhungere nicht!
sich **verirren;** du verirrst dich, er verirrt sich, er verirrte sich, er hat sich im Wald verirrt, verirre dich nicht!
verkaufen; du verkaufst, er verkauft, er verkaufte, er hat sein Auto verkauft, verkaufe es!
der **Verkäufer;** die Verkäufer **(8)**
der **Verkehr**
das **Verkehrszeichen;** die Verkehrszeichen **(6)**
verkehrt; das ist ganz verkehrt
sich **verkleiden;** du verkleidest dich, er verkleidet sich, er verkleidete sich, er hat sich als Cowboy verkleidet, verkleide dich auch!
verlassen; du verläßt uns, er verläßt uns, er verließ uns, er hat uns verlassen, verlasse und verlaß uns nicht!
verlegen; er war sehr verlegen
sich **verletzen;** er hat sich beim Sport verletzt
der **Verletzte;** die Verletzten **(24)**
verlieren; du verlierst, er verliert, er verlor, er hat Geld verloren, verliere nichts!
verließ siehe verlassen
verlor siehe verlieren
vernünftig; sei doch vernünftig!
die **Verpackung;** die Verpackungen
verprügeln; du verprügelst ihn, er verprügelt ihn, er verprügelte ihn, er hat ihn verprügelt, verprügele ihn nicht!
der **Verrat**
verraten; du verrätst uns, er verrät uns, er verriet uns, er hat uns verraten, verrate uns nicht!
der **Verräter;** die Verräter
sich **verrechnen;** du verrechnest dich, er verrechnet sich, er verrechnete sich, er hat sich verrechnet, verrechne dich nicht!
verreisen; du verreist, er verreist, er verreiste, er ist verreist, verreise auch einmal!
verriet siehe verraten

verrückt; er ist verrückt
verschenken; du verschenkst, er verschenkt, er verschenkte, er hat alles verschenkt, verschenke nicht alles!
verschieden; die beiden Brüder sind ganz verschieden
sich **verschlucken;** du verschluckst dich, er verschluckt sich, er verschluckte sich, er hat sich verschluckt, verschlucke dich nicht!
verschwinden; du verschwindest, er verschwindet, er verschwand, er ist verschwunden, verschwinde!
versperren; du versperrst, er versperrt, er versperrte, er hat mir den Weg versperrt, versperre mir nicht den Weg!
versprechen; du versprichst, er verspricht, er versprach, er hat es mir versprochen, versprich nicht zu viel!
verstand siehe verstehen
der **Verstand**
verstauchen; du verstauchst, er verstaucht, er verstauchte, er hat sich den Fuß verstaucht, verstauche dir nicht den Fuß!
das **Versteck;** die Verstecke; Versteck spielen
verstecken; du versteckst, er versteckt, er versteckte, er hat das Spielzeug versteckt, verstecke es!; sich verstecken; die Kinder haben sich versteckt
verstehen; du verstehst, er versteht, er verstand, er hat alles verstanden, verstehe doch!
versuchen; du versuchst, er versucht, er versuchte, er hat es versucht, versuche es auch einmal!
verteilen; du verteilst, er verteilt, er verteilte, er hat die Schokolade verteilt, verteile sie!
sich **vertragen;** du verträgst dich, er verträgt sich, er vertrug sich, er hat sich mit allen Kindern vertragen, vertragt euch!
verunglücken; du verunglückst, er verunglückt, er verunglückte, er ist verunglückt, verunglücke nicht!
verwandt; wir sind verwandt
der **Verwandte;** des Verwandten, die Verwandten
die **Verwandtschaft**
verwechseln; du verwechselst, er verwechselt, er verwechselte, er hat die Mäntel verwechselt, verwechsele sie nicht!
verwelken; die Blumen verwelken, die Blumen verwelkten, die Blumen sind verwelkt
verzichten; du verzichtest, er verzichtet, er verzichtete, er hat auf eine Reise nach Paris verzichtet, verzichte darauf!
der **Vetter;** die Vettern
das **Vieh**
viel; viele Kinder waren auf dem Hof
vielleicht; vielleicht kommt er
vier; der vierte Mai
viereckig
vierhundert
vierjährig; ein vierjähriges Kind
viermal; er hat viermal gewürfelt; aber: vier mal zwei (in Ziffern: 4 mal 2) ist acht (8)
viertausend
die **Viertelstunde;** die Viertelstunden
viertens
vierzehn
vierzig
die **Villa;** die Villen
violett; Veilchen sind violett
der **Vogel;** die Vögel **(4)**
das **Vogelbauer;** die Vogelbauer **(23)**
das **Vogelhaus;** die Vogelhäuser; das **Vogelhäuschen (4)**
der **Vogelkäfig;** die Vogelkäfige **(23)**
das **Vogelnest;** die Vogelnester
die **Vogelscheuche;** die Vogelscheuchen **(18)**
das **Volk;** die Völker
Volker
das **Volkslied;** die Volkslieder
die **Volksschule;** die Volksschulen
voll; der Eimer ist voll
vollaufen; die Wanne läuft voll, die Wanne ist vollgelaufen
der **Vollmond**
von; er nahm das Buch von dem Tisch

vor; er stand vor der Tür; aber: er stellte sich vor die Tür
vorbei; es ist alles vorbei
vorbeifahren; er fährt vorbei, er ist vorbeigefahren
vorbeigehen; er geht vorbei, er ist vorbeigegangen
vorgestern; vorgestern waren wir in Frankfurt
der **Vorhang;** die Vorhänge **(3)**
vorher; warum hast du das nicht vorher gesagt?
vorhin; vorhin stand der Stuhl noch hier
vorig; vorige Woche war er hier
vorläufig; vorläufig gibt es nichts Neues
vorlaut; sei doch nicht so vorlaut!
vorlesen; die Mutter liest vor, die Mutter hat eine Geschichte vorgelesen
der **Vormittag;** die Vormittage; **vormittags;** vormittags sind wir in der Schule
vorn; er sitzt in der Klasse ganz vorn
der **Vorname;** des Vornamens, die Vornamen
vornehm; er ist schrecklich vornehm
der **Vorrat;** die Vorräte
der **Vorschlag;** die Vorschläge
vorschlagen; er schlägt vor; er hat vorgeschlagen, Fußball zu spielen
die **Vorsicht;** Vorsicht!
vorsichtig; sei vorsichtig!
vortragen; er trug ein Gedicht vor, er hat ein Gedicht vorgetragen
vorwärts; vorwärts und rückwärts
vorwitzig; sei nicht so vorwitzig!

W

die **Waage;** die Waagen **(19)**
wach; er ist wach
wachmachen; er macht seinen Bruder wach, er hat seinen Bruder wachgemacht
wachsen; du wächst, er wächst, er wuchs, er ist im letzten Jahr ein ganzes Stück gewachsen
wackelig und **wacklig;** ein wackliger Tisch
wackeln; der Zahn wackelt, der Zahn hat gewackelt
die **Wade;** die Waden
die **Waffe;** die Waffen
die **Waffel;** die Waffeln
wagen; du wagst, er wagt, er wagte, er hat den Sprung gewagt, wage ihn!
der **Wagen;** die Wagen
die **Wahl;** die Wahlen
wählen; du wählst, er wählt, er wählte, er hat gewählt, wähle richtig!
wahnsinnig; du bist wahnsinnig!
wahr; es ist wirklich wahr; nicht wahr?
während; er schwätzte während des Unterrichts
die **Wahrheit;** die Wahrheiten
wahrscheinlich; er wird heute wahrscheinlich nicht kommen
der **Wal;** die Wale

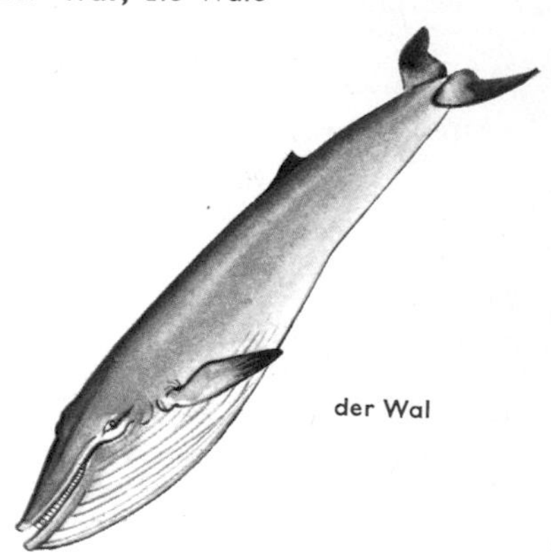
der Wal

der **Wald;** die Wälder **(18)**
Waldemar
die **Walnuß;** die Walnüsse
Walter und **Walther**

die Walze

die **Walze**; die Walzen
die **Wand**; die Wände **(2)**
der **Wanderer**; die Wanderer
wandern; du wanderst, er wandert, er wanderte, er ist drei Stunden gewandert, wandere viel!
die **Wanderung**; die Wanderungen
die **Wandtafel**; die Wandtafeln
wann; wann kommst du?
die **Wanne**; die Wannen
war siehe sein
warf siehe werfen
warm; wärmer, am wärmsten; heute ist es sehr warm
die **Wärme**
wärmen; du wärmst, die Mutter wärmt, die Mutter wärmte, die Mutter hat das Essen gewärmt, wärme das Essen!; sich wärmen; er hat sich am Ofen gewärmt
warten; du wartest, er wartet, er wartete, er hat lange auf ihn gewartet, warte hier auf ihn!
der **Wartesaal**; die Wartesäle
das **Wartezimmer**; die Wartezimmer **(12)**
warum; warum bist du nicht gekommen?
die **Warze**; die Warzen
was; was willst du von mir?
das **Waschbecken**; die Waschbecken **(5)**
die **Wäsche**
waschen; du wäschst, er wäscht, er wusch, er hat das Auto gewaschen, wasche das Auto!; sich waschen; er hat sich noch nicht gewaschen
der **Waschlappen**; die Waschlappen **(5)**
die **Waschmaschine**; die Waschmaschinen
das **Wasser (11)**
der **Wasserhahn**; die Wasserhähne **(5)**
die **Wasserleitung**; die Wasserleitungen
wasserscheu; sie ist wasserscheu
watscheln; die Ente watschelt, die Ente watschelte, die Ente ist über den Hof gewatschelt
die **Watte (12)**
weben; du webst, sie webt, sie webte, sie hat den Teppich gewebt, webe ihn!
wechseln; du wechselst, er wechselt, er wechselte, er hat das Geld gewechselt, wechsle mir bitte 20 Mark!
wecken; du weckst, er weckt, er weckte, er hat seinen Bruder um 8 Uhr geweckt, wecke ihn!
der **Wecker**; die Wecker **(2)**
wedeln; der Hund wedelt, der Hund wedelte, der Hund hat mit dem Schwanz gewedelt
weder; weder er noch sie
weg; weg da!
der **Weg**; die Wege **(4)**
wegen; wir blieben wegen des schlechten Wetters zu Hause
wegfahren; er fährt weg, er ist weggefahren
wegfliegen; der Ballon fliegt weg, er ist weggeflogen
weggehen; er geht weg, er ist weggegangen
wegjagen; er jagt ihn weg, er hat ihn weggejagt
weglaufen; er läuft weg, er ist weggelaufen
wegnehmen; er nimmt ihm den Ball weg, er hat ihm den Ball weggenommen
wegrennen; er rennt weg, er ist weggerannt
weh; er hat mir weh getan; o weh!
wehen; die Fahne weht im Wind, sie hat im Wind geweht

sich **wehren;** du wehrst dich, er wehrt sich, er wehrte sich, er hat sich ordentlich gewehrt, wehre dich!

wehtun; er tut mir weh, er hat mir wehgetan

das **Weib;** die Weiber

weich; weiches Haar.

die **Weiche;** die Weichen

die **Weide;** die Weiden **(18)**

weiden; die Kühe weiden auf der Wiese, sie haben auf der Wiese geweidet; weide die Kühe!

sich **weigern;** du weigerst dich, er weigert sich, er weigerte sich, er hat sich geweigert, weigere dich nicht!

der **Weiher;** die Weiher

Weihnachten (25)

der **Weihnachtsbaum;** die Weihnachtsbäume **(25)**

das **Weihnachtsfest**

das **Weihnachtsgeschenk;** die Weihnachtsgeschenke **(25)**

der **Weihnachtsstollen** oder die **Weihnachtsstolle;** die Weihnachtsstollen **(25)**

weil; er fehlt heute, weil er krank ist

der **Wein;** die Weine

der Wein

weinen; du weinst, er weint, er weinte, er hat jämmerlich geweint, weine nicht!

die **Weintraube;** die Weintrauben

weiß; der Schnee ist weiß

weiß siehe wissen

der **Weißkohl (20)**

das **Weißkraut (20)**

weit; am weitesten; er hat den Ball sehr weit geworfen

weiterfahren; er fährt weiter, er ist weitergefahren

weitergehen; er geht weiter, er ist weitergegangen; bitte weitergehen!

weiterspielen; wir spielen weiter; wir haben weitergespielt, obwohl es regnete

der **Weitsprung;** die Weitsprünge **(10)**

der **Weizen**

der Weizen

welcher; welche, welches; welches Kind meinst du?

welk; die Blumen sind welk

welken; die Blumen welken

die **Welle;** die Wellen (1. Wasserwelle; 2. Haarwelle; 3. Reckübung; 4. Maschinenteil)

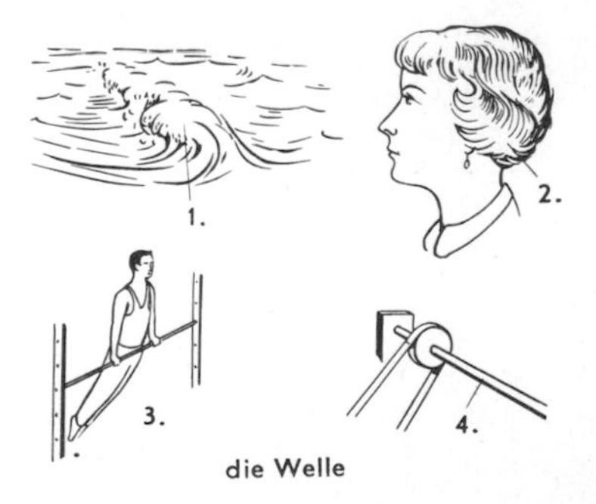

die Welle

der **Wellensittich**; die Wellensittiche **(23)**
die **Welt**
das **Weltall**
wem, wen; wem gehört das Buch?; wen hast du gesehen?
wenig; ich habe wenig Zeit; ein wenig
wenigstens; du kannst wenigstens den Korb tragen, wenn ich das Rad schieben soll
wenn; wenn auch; wennschon; komme doch, wenn möglich, etwas früher
wer; wer ist das?
werden; du wirst, er wird, er wurde, er ist größer geworden, werde groß und stark!
werfen; du wirfst, er wirft, er warf, er hat mit Steinen geworfen, wirf nicht mit Steinen!
die **Werkstatt**; die Werkstätten
der **Werktag**; die Werktage
das **Werkzeug**; die Werkzeuge
Werner
wert; das ist 10 Mark wert
die **Weser**
die **Wespe**; die Wespen

die Wespe

das **Wespennest**; die Wespennester
die **Weste**; die Westen
der **Westen**
der **Westerwald**
westlich
die **Wette**; die Wetten
wetten; du wettest, er wettet, er wettete, er hat um 5 Mark gewettet, wette nicht um Geld!
das **Wetter**
der **Wettkampf**; die Wettkämpfe
der **Wettlauf**; die Wettläufe
wetzen; du wetzt, er wetzt, er wetzte, er hat die Sense gewetzt, wetze die Sense!

wichtig; das ist ganz wichtig
wie; wie sehr, wie oft; er ist so groß wie ich
wieder; er sagt es immer wieder
wiederfinden; er findet den Ball wieder, er hat den Ball wiedergefunden
wiederkommen; er kommt wieder, er ist wiedergekommen
das **Wiedersehen**; auf Wiedersehen!
die **Wiege**; die Wiegen
wiehern; das Pferd wiehert, das Pferd wieherte, das Pferd hat gewiehert
die **Wiese**; die Wiesen **(18)**
das **Wiesel**; die Wiesel

das Wiesel

wild; am wildesten; sei doch nicht so wild!
das **Wild**
der **Wilddieb**; die Wilddiebe
der **Wildfang**
das **Wildschwein**; die Wildschweine

das Wildschwein

Wilfried
Wilhelm
will siehe wollen
der **Wille**
Willibald
der **Wimpel**; die Wimpel

die **Wimper**; die Wimpern
der **Wind**; die Winde
die **Windel**; die Windeln
windig; es ist sehr windig
die **Windmühle**; die Windmühlen

die Windmühle

der **Winkel**; die Winkel
winken; du winkst, er winkt, er winkte, er hat ihr gewinkt; winke, wenn der Zug abfährt!
winseln; der Hund winselt, der Hund hat gewinselt
der **Winter**; die Winter
der **Winzer**; die Winzer
winzig; ein winzig kleiner Hund
der **Wipfel**; die Wipfel
die **Wippe**; die Wippen
wippen; du wippst, er wippt, er wippte, er hat gewippt, wippe auch einmal!
wir; wir beide
wirbeln; die Blätter wirbeln durch die Luft, sie sind durch die Luft gewirbelt
wird siehe werden
wirf! siehe werfen
wirklich; kommt er wirklich?
der **Wirsing**
wirst siehe werden
der **Wirt**; die Wirte
die **Wirtschaft**; die Wirtschaften
das **Wirtshaus**; die Wirtshäuser
wischen; du wischst, sie wischt, sie wischte, sie hat Staub gewischt, wische Staub!

wissen; du weißt, er weiß, er wußte, er hat alles gewußt
die **Witwe**; die Witwen
der **Witz**; die Witze
witzig; er ist sehr witzig
wo; wo bist du?
die **Woche**; die Wochen
wofür; wofür ist das?
wog siehe wiegen
woher; woher kommst du?
wohin; wohin gehst du?
wohl; leb wohl!
wohnen; du wohnst, er wohnt, er wohnte, er hat in Frankfurt gewohnt
die **Wohnung**; die Wohnungen
der **Wohnwagen**; die Wohnwagen **(26)**
das **Wohnzimmer**; die Wohnzimmer **(3)**
der **Wolf**; die Wölfe

der Wolf

Wolfgang
Wolfram
die **Wolke**; die Wolken
wolkenlos; der Himmel ist wolkenlos
wolkig; ein wolkiger Himmel
die **Wolldecke**; die Wolldecken
die **Wolle**
wollen; du willst, er will, er wollte, er hat es gewollt
womit; womit machst du das?
woraus; woraus trinkst du die Milch?
das **Wort**; die Wörter
wovon; wovon bist du so müde?
wuchs siehe wachsen

wühlen; du wühlst, er wühlt, er wühlte, er hat in der Schublade gewühlt, wühle nicht in der Schublade!
wund; er hat sich wund gerieben
die **Wunde;** die Wunden
das **Wunder;** die Wunder
wunderbar; das ist wunderbar
sich **wundern;** du wunderst dich, er wundert sich, er wunderte sich, er hat sich gewundert, wundere dich nicht!
wunderschön; auf deiner Geburtstagsfeier war es wunderschön
der **Wunsch;** die Wünsche
sich **wünschen;** du wünschst dir etwas, er wünscht sich etwas, er wünschte sich etwas, er hat sich ein Fahrrad gewünscht, wünsche dir etwas!
der **Wurf;** die Würfe (1. die Jungen bestimmter Säugetiere; 2. das Werfen eines Gegenstandes)

der Wurf

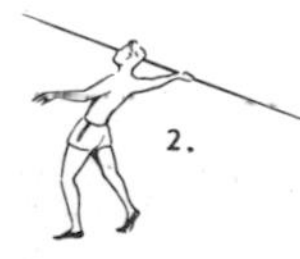

der **Würfel;** die Würfel
würfeln; du würfelst, er würfelt, er würfelte, er hat eine Sechs gewürfelt, würfele eine Eins!
der **Wurm;** die Würmer
die **Wurst;** die Würste; das Würstchen **(8)**
die **Wurzel;** die Wurzeln

wusch siehe waschen
wußte siehe wissen
die **Wüste;** die Wüsten
die **Wut**
wütend; er ist wütend

die **X-Beine**

das **Ypsilon;** des Ypsilon und des Ypsilons; die Ypsilons

Z

zäh; das Fleisch ist zäh
die **Zahl;** die Zahlen
zahlen; du zahlst, er zahlt, er zahlte, er hat gezahlt, zahle bitte!
zählen; du zählst, er zählt, er zählte, er hat bis hundert gezählt, zähle du bis tausend!
zahm; ein zahmes Reh
zähmen; du zähmst, er zähmt, er zähmte, er hat den Löwen gezähmt, zähme ihn!
der **Zahn;** die Zähne (1. Teil des Gebisses; 2. am Zahnrad)

der Zahn

der **Zahnarzt;** die Zahnärzte
die **Zahnbürste;** die Zahnbürsten **(5)**
die **Zahnpasta (5)**
die **Zahnschmerzen**
das **Zahnweh**
die **Zange;** die Zangen **(15)**

sich **zanken;** du zankst dich, er zankt sich, er zankte sich, er hat sich mit seinem Freund gezankt, zanke dich nicht mit ihm!
zappeln; der Fisch zappelt im Netz, der Fisch hat im Netz gezappelt
zart; am zartesten; sie hat eine zarte Haut
der **Zauberer;** die Zauberer
zaubern; du zauberst, er zaubert, er zauberte, er hat gezaubert, zaubere!
der **Zaun;** die Zäune **(4)**
der **Zaunkönig;** die Zaunkönige

der Zaunkönig

das **Zebra;** die Zebras **(22)**
der **Zebrastreifen;** die Zebrastreifen
der **Zeh;** die Zehen und die **Zehe;** die Zehen; der große Zeh; der kleine Zeh
die **Zehenspitzen**
zehn; der zehnte Mai
zehnjährig; ein zehnjähriger Junge
zehnmal; er hat zehnmal gewürfelt; a b e r: zehn mal zwei (in Ziffern: 10 mal 2) ist zwanzig (20)
zehntausend
zehntens
das **Zeichen;** die Zeichen
der **Zeichenblock;** die Zeichenblocks und die Zeichenblöcke
zeichnen; du zeichnest, er zeichnet, er zeichnete, er hat ein Haus gezeichnet, zeichne einen Turm!
die **Zeichnung;** die Zeichnungen **(9)**
der **Zeigefinger;** die Zeigefinger **(9)**
zeigen; du zeigst, er zeigt, er zeigte, er hat ihm das Haus gezeigt, zeige es ihm!
der **Zeiger;** die Zeiger **(14)**
die **Zeile;** die Zeilen
die **Zeit;** die Zeiten
die **Zeitschrift;** die Zeitschriften **(14)**
die **Zeitung;** die Zeitungen
der **Zeitungsständer;** die Zeitungsständer **(3)**
der **Zeitvertreib**
das **Zelt;** die Zelte **(26)**
zelten; du zeltest, er zeltet, er zeltete, er hat am Rhein gezeltet, zelte hier!
der **Zement (21)**
der **Zentimeter** und das **Zentimeter;** die Zentimeter
der **Zentner;** die Zentner
die **Zentralheizung;** die Zentralheizungen
zerbrechen; du zerbrichst, er zerbricht, er zerbrach, er hat die Schüssel zerbrochen, zerbrich sie nicht!
zerreißen; du zerreißt, er zerreißt, er zerriß, er hat den Brief zerrissen, zerreiße ihn nicht!
zerren; du zerrst, er zerrt, er zerrte, er hat seinen Bruder aus dem Bett gezerrt, zerre ihn nicht aus dem Bett!
zerriß siehe zerreißen
die **Zervelatwurst;** die Zervelatwürste
der **Zettel;** die Zettel
das **Zeug**
das **Zeugnis;** die Zeugnisse
das **Zicklein;** die Zicklein **(17)**
der **Zickzack;** im Zickzack laufen
die **Ziege;** die Ziegen **(17)**
der **Ziegel;** die Ziegel (1. Stein aus gebranntem Ton zum Bauen; 2. Stein aus gebranntem Ton zum Dachdecken)

der Ziegel

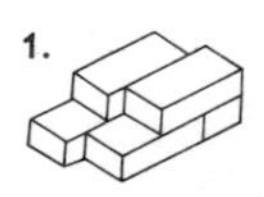

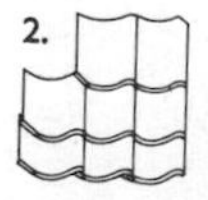

ziehen; du ziehst, er zieht, er zog, er hat den Wagen gezogen, ziehe ihn!
das **Ziel;** die Ziele
zielen; du zielst, er zielt, er zielte, er hat schlecht gezielt, ziele besser!
ziemlich; es ist ziemlich kalt
die **Ziffer;** die Ziffern
die **Zigarette;** die Zigaretten
die **Zigarettenschachtel;** die Zigarettenschachteln **(3)**
die **Zigarre;** die Zigarren **(25)**
der **Zigeuner;** die Zigeuner
das **Zimmer;** die Zimmer
zimperlich; sei nicht so zimperlich!
der **Zimt**
der **Zipfel;** die Zipfel
die **Zipfelmütze;** die Zipfelmützen
der **Zirkel;** die Zirkel
der **Zirkus;** des Zirkus, die Zirkusse
zirpen; die Grille zirpt, die Grille zirpte, die Grille hat gezirpt
zischen; die Schlange zischt, die Schlange hat gezischt
die **Zither;** die Zithern
die **Zitrone;** die Zitronen **(19)**
zittern; du zitterst, er zittert, er zitterte, er hat vor Kälte gezittert
zog siehe ziehen
der **Zoo;** die Zoos **(22)**
der **Zopf;** die Zöpfe **(9)**
der **Zorn**
zornig; er wurde sehr zornig
zu; er kommt zu mir
der **Zucker**
zudecken; die Mutter deckt das Kind zu, die Mutter hat das Kind zugedeckt
zuerst; ich kam zuerst, dann kamst du
der **Zufall;** die Zufälle
zufällig; ich habe ihn zufällig getroffen
zufrieden; ich bin sehr zufrieden
der **Zug;** die Züge (1. Festzug; 2. Eisenbahnzug)
der **Zügel;** die Zügel
zugucken; er guckt mir zu, er hat mir zugeguckt
zu Haus und **zu Hause;** wir sind um 12 Uhr zu Hause
zuhören; er hört mir zu, er hat mir zugehört
die **Zukunft**
zuletzt; er kam zuletzt
zumachen; er macht das Fenster zu, er hat das Fenster zugemacht
zunehmen; er nimmt zu, er hat zugenommen
die **Zunge;** die Zungen
zupfen; du zupfst, er zupft, er zupfte, er hat ihn am Haar gezupft, zupfe ihn nicht!
zurück; er ist noch nicht zurück
zurückbringen; er bringt den Korb zurück, er hat den Korb zurückgebracht
zurückfahren; er fährt zurück, er ist mit der Bahn zurückgefahren
zurückgehen; er geht zurück, er ist auf seinen Platz zurückgegangen
zurückkommen; er kommt zurück; er ist noch einmal zurückgekommen
zusammen; wir fahren zusammen in die Ferien
zusammenstoßen; wir stießen zusammen, wir sind zusammengestoßen
zusammenzählen; er zählt die Zahlen zusammen, er hat die Zahlen zusammengezählt
zuschauen; er schaut mir zu, er hat mir zugeschaut
der **Zuschauer;** die Zuschauer
zuschließen; er schließt zu, er hat zugeschlossen
zusehen; er sieht mir zu, er hat mir zugesehen
der **Zustand;** die Zustände
zuverlässig; er ist sehr zuverlässig

der Zug

1.

2.

zuviel; er redet zuviel
zuwenig; er ißt zuwenig
zwang siehe zwingen
zwanzig
zwei; der zweite Mai
der **Zweig**; die Zweige **(4)**
zweihundert
zweijährig; ein zweijähriges Kind
zweimal; er hat zweimal gewürfelt; aber: zwei mal zwei (in Ziffern: 2 mal 2) ist vier **(4)**
zweitausend
zweitens; erstens habe ich kein Geld und zweitens keine Zeit
zwicken; du zwickst mich, er zwickt mich, er zwickte mich, er hat mich gezwickt, zwicke mich nicht!
der **Zwieback**; die Zwiebäcke
die **Zwiebel**; die Zwiebeln **(1)**
der **Zwilling**; die Zwillinge
zwingen; du zwingst ihn, er zwingt ihn, er zwang ihn, er hat ihn zu dieser Tat gezwungen, zwinge ihn nicht dazu!
der **Zwirn**
der **Zwirnsfaden**; die Zwirnsfäden
zwischen; er saß zwischen mir und meiner Schwester
der **Zwischenraum**; die Zwischenräume
zwitschern; die Vögel zwitschern, die Vögel zwitscherten, die Vögel haben gezwitschert
zwölf; der zwölfte Mai
zwölfjährig; ein zwölfjähriges Mädchen
der **Zylinder**; die Zylinder (1. hoher Hut; 2. Teil des Motors)

der Zylinder

1.

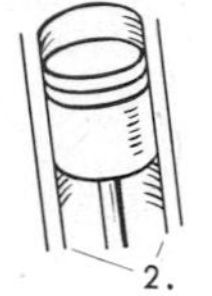

2.

Liebe Kinder!

Auf den 28 Bildtafeln im ersten Teil des Kinderdudens habt Ihr Peter und Monika kennengelernt. Ihr habt die beiden Kinder zu Hause, auf Reisen und in der Schule gesehen. Das Wörterverzeichnis mit den vielen bunten Abbildungen hat Euch gewiß auch gefallen. Wenn Ihr älter werdet, werdet Ihr sagen: „Der Kinderduden ist für mich zu klein, und ich bin für den Kinderduden zu groß." Aber was nun?

Ihr braucht jetzt die Duden für den Schüler:

SCHÜLERDUDEN, Band 1: Rechtschreibung und Wortkunde

SCHÜLERDUDEN, Band 2: Bedeutung und Gebrauch der Wörter

SCHÜLERDUDEN, Band 3: Grammatik (in Vorbereitung)

SCHÜLER-MATHEMATIKDUDEN, Band 1: Ein Helfer für Schulaufgaben

SCHÜLER-MATHEMATIKDUDEN, Band 2: Eine Aufgabensammlung mit Lösungen für Eltern, Lehrer und Schüler

SCHÜLERLEXIKON

Euer Dudenverlag